comer y pasarla bien

narda lepes

 Planeta

Lepes, Narda
    Comer y pasarla bien.- 11ª ed. - Buenos Aires : Planeta, 2012.
    224 p. ; 24x21 cm.

    ISBN 978-950-49-1797-7

    1. Libros de Cocina. I. Título
    CDD 641.5

© 2007, Narda Lepes Miranda

Producción editorial y contenidos: Vanessa Kroop
Producción gastronómica: Barbara Ostrovsky, Francisco Martínez
Arte de cubierta y diseño de la obra: Santiago Jovenich, Cecilia González
Estilismo y arte: Cecilia Miranda (asistentes: Ayelen Crapanzano, Ana Caride Burgos)

Fotografía de todos los capítulos, secciones, y cubierta, excepto capítulos 7 y 8: Eduardo Torres (asistente: Candela Muschetto)
Fotos capítulos 7 y 8: Javier Picerno
Fotos viajes: Gabriel Miguel, Orson Díaz, Narda Lepes

Diseño interior y maqueta: Damián Luciani
Armado y diagramación: Estudio Cicloideas

Todos los derechos reservados
© 2007, Grupo Editorial Planeta SAIC
Publicado bajo el sello Planeta®
Independencia 1682 (1100) C.A.B.A.
www.editorialplaneta.com.ar

11ª edición: abril de 2012
4.000 ejemplares

ISBN 978-950-49-1797-7

Impreso en Gráfica Triñanes,
Charlone 971, Avellaneda,
en el mes de marzo de 2012.

Hecho el depósito que prevé la ley 11.723
Impreso en la Argentina

Índice/Sumario

La fuerza del ingrediente

Estuve con Narda Lepes por primera vez en la misma época en la que conocí a otros talentosos cocineros argentinos de su generación.

Por ese entonces, Narda tenía un restaurante japonés moderno, muy agradable, en la ciudad de Buenos Aires. De inmediato me llamó la atención por su inteligencia, su dinamismo, y la gran cantidad de información que maneja sobre la cocina de cualquier lugar del mundo. A partir de ese primer encuentro, estuvimos juntos muchas otras veces, y siempre en situaciones especiales: compartiendo un té, o en grabaciones de programas de TV muy inspiradores.

Cada vez que la vi, pude percibir que Narda –como yo– tiene un gran entusiasmo por la cocina sudamericana, y no le s da demasiada importancia a las fronteras "políticas" de los países de la región. Sabe que tenemos ingredientes increíbles, y que debemos conocer, cultivar, admirar y difundir las recetas maravillosas que se producen en este extremo del continente.

Cuando me invitaron a escribir el prólogo de este libro me sentí muy honrado. Al detenerme en su contenido, reconocí muchas cualidades de Narda, e incluso tuve la alegre experiencia de reflexionar sobre aspectos muy importantes del día a día de la cocina. Sin embargo, lo que más me sorprendió –más allá de la buena preparación de las recetas que propone para ocasiones de lo más variadas– fue el tratamiento que les da a los ingredientes. Creo que los buenos ingredientes son responsables en un sesenta por ciento para que una receta resulte exitosa. Y para conseguirlos es importante conocer cada uno de ellos, saber cómo elegirlos, cuál es la mejor forma de prepararlos –su punto ideal–, dónde encontrarlos, la mejor época para consumirlos y cómo conservarlos. Además de sus detalladas recetas, Narda dedica varias de sus páginas a temas relevantes con los que un cocinero tiene que lidiar a menudo, sin perder nunca de vista lo importante de tener una buena materia prima y de estar siempre abierto a nuevos hallazgos.

Tampoco deja de lado consejos básicos: cómo preparar una lista de compras, lo que no debe faltar en la despensa, en la heladera y en el freezer, y el plazo de validez de cada uno de esos productos.

El paladar infantil también está presente. Para madres, tías, abuelas, para quienes conviven con niños, Narda propone maneras creativas y divertidas de presentar nuevos sabores para los más chicos, y tips de alimentos indispensables ("tienen que comer frutas", insiste).

Dar con este libro fue para mí una experiencia divertida, inspiradora y muy esclarecedora sobre la cocina de todos los días. Y estoy seguro de que los lectores sentirán esa misma alegría –además de muchas otras– al leer y practicar lo que propone *Comer y pasarla bien.*

Alex Atala

7

Por qué ahora

A lo largo de todos estos años de trabajo, fue mucha la gente que me preguntó por qué nunca había publicado un libro. Y la respuesta es más o menos sencilla: quería tener algo que decir. Por eso, hasta ahora no me había animado. Porque lo único con lo que el lector se habría encontrado es con la fórmula clásica del libro de cocina: una sucesión de recetas con fotos ilustrativas.

Este libro no toma forma sobre ideas brillantes ni principios supremos de la gastronomía. Se trata de mostrar aquello que logré reunir y ordenar en todo este tiempo a prueba de ensayos y errores. La idea es trasmitir mi visión sobre aquello que para mí significa comer, que es más o menos lo mismo que intento hacer cada vez que publico una receta en alguna revista, o que salgo al aire en cualquiera de mis programas de televisión. Ver qué pasó, qué está pasando y qué va a pasar en relación con la comida.

En ese sentido, hoy en día hay una tendencia clara: comer bien va a ser cada vez más caro, alimentarse, mucho más, y hacer cualquiera de estas dos cosas con placer y sabor, muchísimo más difícil. Por eso creo que tenemos que estar preparados, tenemos que saber elegir. Pero antes que nada, lo más importante es hacer que ese derecho a elegir exista.

Cuando empiezo un proyecto nuevo relacionado con la comida, tengo una condición con la que mido si lo hago o no: ¿ayuda de algún modo a comer mejor? Y comer mejor no significa más caro ni más sano en un sentido estricto. Más allá de comer para subsistir, la alimentación es una práctica social y uno de los rasgos culturales más fuertes que un pueblo o un grupo humano puede tener. Cada época y cada cultura por medio de estas prácticas culinarias legitima saberes, valores y bienes que permiten mantener un orden, que marcan límites. Es por eso que las instituciones hacen uso de ellas, aplicando su poder regulador y marcando una dirección.

Nos toca vivir en un tiempo en el que la mayoría de la gente que habita en las grandes ciudades vive sola. Y es justo en ese momento de soledad cuando, a través de la publicidad y de los medios de comunicación, las marcas y las empresas nos dicen: "confíen en nosotros". Es obvio que algo confiamos, porque mal, no les va.

Sabemos que lo que verdaderamente rige al mundo es la ley de la oferta y la demanda, cierta confianza en el mercado. En lo que respecta a la industria alimenticia, no digo que las empresas y corporaciones responsables del sector quieran nuestro mal. Sólo que, como es obvio y de acuerdo al mercado, a muchas les importa mucho, pero mucho más su propio bienestar y el aquí y ahora, que nuestros gustos. Por eso, no dudan en bajar la calidad de sus productos, o en alterar su naturaleza para que en la relación costo - beneficio, la ganancia sea mayor –y en algunos casos, las cosas van mucho más lejos.

Somos conscientes de que en el mundo hay gente que se muere de hambre. Y sin embargo, del lado de los que tenemos la enorme fortuna de poder alimentarnos como corresponde, la cosa parece tomar forma sobre una fórmula cada vez más clara: "mientras pagues, comé todo lo que quieras, pero sólo podés elegir entre estos diez productos. Todo lo demás no cuenta. Y vas a pagar por sembrar, cosechar, cocinar o consumir todo lo que se corra de esta regla".

Puedo citar mil ejemplos de lo que digo, pero no es el punto. Hay momentos en los que pienso que todo era más simple cuando no sabía qué pasaba ni veía aquello que se viene. Pero después de leer, de informarme y de hablar con mucha gente para tratar de entender cómo se vende, se produce y se consume no hay manera de ignorarlo, ni tengo la intención de hacerlo.

Se pueden citar mil ejemplos de lo que digo, pero voy a dar sólo uno. Un tomate, por ejemplo, no es más un tomate. Por muchas razones. Entre ellas, y tal vez la más evidente: no tiene gusto a "tomate", lo único que conserva es su color y su forma, es "perfecto" (no tiene ni manchitas ni formas raras), pero no tiene gusto. Los tomates son ricos en verano, cuando hace mucho calor, cuando hay mucho sol; es entonces cuando hay que comerlos. No en invierno, no todo el año. Por otro lado, el tomate, como tantos otros alimentos que compramos, no es más un producto "de la naturaleza" sino que es ya una marca. Un producto registrado, patentado, tratado y modificado.

Podemos pensar que todo esto es algo que no nos compete, que es un problema que no va a modificar nuestra vida cotidiana en lo inmediato. Pero lo cierto es que aquello que comemos todos los días sí nos afecta, y mucho más de lo que creemos.

Por eso apelo –e insisto con la idea– a esta especie de *egoísmo sano*: quiero poder elegir. Exijo poder elegir. Es mi derecho –nuestro derecho– elegir qué comemos y cuándo.

Entonces no compro más tomate en invierno. No compro. No como más algo una vez que sé cómo lo hacen más barato. ¿Por qué? Porque no quiero el envase o la idea de un tomate: quiero un tomate con gusto, sabor y aroma. Quiero elegir.

No quiero comer lo que me dan. Amo comer –como calculo que les pasa a la mayoría de quienes leen esto– y amo cocinar; disfruto de ambas ceremonias, ya sea con o sin tiempo, con o sin parsimonia. Y si dejamos que todo siga así, vamos a comer todos lo mismo. No mucho más que eso.

Pero podemos cambiar las reglas. Podemos asumir la responsabilidad de alimentarnos, de desarrollar una confianza propia y no descansar en los demás. La diferencia la vamos a hacer desarrollando nuestro derecho a consumir o no, ejerciendo nuestro auténtico poder en la compra. Y para generar ese cambio, que sí es posible, hay que saber, aprender y educarse. Es un derecho y es una obligación que tenemos con nosotros mismos, con nuestros seres queridos (y hasta con el mundo, aunque suene exagerado).

Como dije antes, se trata de un acto egoísta: primero, nosotros. Por eso apelo a nuestra parte que se queja si algo está mal, que exige calidad, y que es la misma que va a protestar cuando no sólo no haya calidad, sino cuando ya no encontremos variedad.

No podemos transitar por nuestra vida perdiéndonos sabores y sacrificándonos a base de pollo, barritas de cereal y puré de calabaza… O comiendo nada más que hamburguesas, papas fritas y milanesas. Muchas veces creemos que estamos comiendo algo que nos hace bien –"del lado del bien" digo yo–, cuando en realidad no es así. Y es que ni lo malo es tan malo (los alimentos "del lado del mal"), ni lo bueno tan bueno. La línea que separa a esos buenos de los malos es bastante difusa, y muchas veces es nada más que la cantidad de lo que consumimos la que cambia a ese alimento de bando. La clave está en comer de todo y en analizar si lo hacemos en las proporciones correctas.

Por eso, cuando hablo de comer sano (y de todo) me refiero a comer mejor: comer sin dictámenes ni culpas, comer observando nuestro entorno, comer productos frescos, comer con placer, acompañados de vez en cuando, dándonos un tiempo; comer con variedad, bien equipados; comer divirtiéndonos y sorprendiéndonos con nuevos sabores; comer lo que nosotros mismos hicimos en la cocina… Y para poder comer de esta manera, como es obvio, necesitamos saber cocinar, aunque sea lo básico.

Quiero compartir lo que cocino y como en la vida real, todos los días, en mi casa. Quiero proponerles cocinar desde el placer, pasarla bien comiendo. Es sólo cuestión de desarrollar y aplicar nuestro sentido común, sacarlo del cajón con polvo en que parece guardado a veces a la hora de comer. No se trata de buscar grandes fórmulas: elegir lo más cercano, lo estacional, lo regional, lo imperfecto pero sabroso, lo que está bien conservado. Repito: comer mejor no significa comer más caro.

No pretendo enseñarles a cocinar –si aprenden, mejor– no pretendo que cambien su forma de ver las cosas, pero sí la comida. Sí quiero que tomen conciencia de que aquello que entra en sus cuerpos es absorbido a diario, varias veces (hay gente que hace diez cuadras de más para ponerle otra nafta al auto, pero come cualquier cosa que le ponen a mano). Sí quiero que sepan cuál es su "patrón alimentario", que es lo que determina qué, cómo, cuándo y con quién comemos, para entenderlo y poder cambiarlo de ser necesario. Y de paso, darles también algunas orientaciones básicas que a mí me sirven de guía para comer y pasarla bien.

Narda

En el mercado

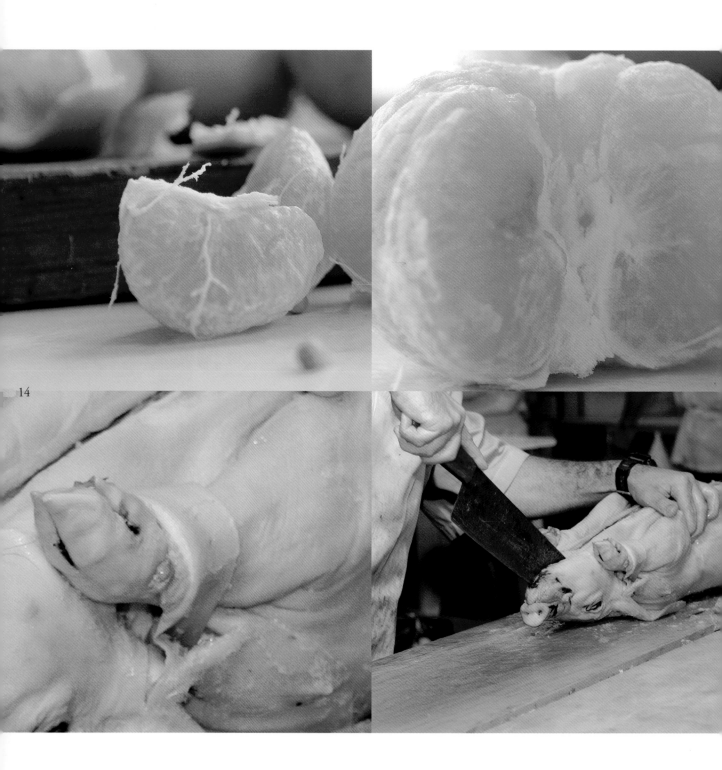

La teoría de la mandarina

Imaginemos esta situación. Vamos caminando por un campo o una granja, tenemos hambre. Pensamos: "qué ganas de comer un chinchulín". Para empezar, tendríamos que correr a un chancho –que es un animal grande y bastante bravo–, atraparlo, animarnos a matarlo, desangrarlo, faenarlo –algo nada fácil–, sacarle las tripas, vaciarlas, lavarlas, prender el fuego y, finalmente, cocinar los chinchulines.

En cambio, si nuestro apetito nos lleva a los árboles y nos acercamos, por ejemplo, al de las mandarinas, tenemos frutas al alcance de la mano. Con un giro las arrancamos, sin esfuerzo las pelamos, y, para nuestra comodidad, ya vienen cortadas en porciones. Y no sólo nos sacan el hambre, sino que también nos calman la sed.

Entonces, los interpelo desde mi precaria "Teoría de la mandarina": ¿el sentido común no nos dice que debemos comer mucho de una cosa y poco de la otra? Ojo, aclaro: adoro la panceta. Pero para hacer un salame o una longaniza (que algunos se devoran en quince minutos con un pancito caliente), no sólo tenemos que hacer todo lo que detallamos antes con el chancho, sino que además hay que picarlo, condimentarlo, embutir la tripa –bastante complicado– y estacionarlo por algunos meses y además hay que contar las horas de trabajo y dedicación de los que lo elaboran. Por eso, aunque sea por consideración al trabajo de los demás, tratemos por lo menos de masticarlo un poco más. Si tarda en hacerse y el objetivo es la conserva, debería comerse con respeto, el mismo respeto que nos genera un hojaldre alto, crocante y liviano como una espuma (en este caso, el homenaje es hacia las manos que lo hicieron). Que es más o menos el mismo respeto que sentimos cuando comemos una frutilla tan jugosa y dulce que entendemos por qué se aplica como motivo en telas, papeles de carta, dibujitos animados, vestidos y cuadros. Esa frutilla explica y excusa a todas las demás agrias y ácidas que comimos antes. Por eso, comer los productos en su mejor momento es un acto privado entre la naturaleza y nosotros. Por derecho.

A veces entro a la cocina de algún lugar para agradecer al cocinero por lo que acabo de comer, y no lo hago como compromiso, sino como una forma de rendir respeto. Puede ser un sandwich de jamón crudo y tomate, o un confit de pato, eso es lo de menos. Lo que sí es seguro es que el éxito de un plato se basa siempre en la compra de buenos productos, en guardarles respeto y comprensión a la hora de trabajar con ellos, en "entender" los tiempos de cada uno de los ingredientes, a base de experiencia y repetición.

Cada época del año trae con ella sus platos. En invierno, guisos, risottos, pastel de papas, lentejas con panceta, braseados de horas. En otoño, vegetales asados al horno, pastas con hongos, las primeras sopas, las mejores espinacas, gratinados de brócoli, berenjenas rellenas, peras asadas y tortas de manzanas. La primavera es ideal para comer cordero (tiene un buen tamaño), es una comida agresiva, rápida, pasional y sangrienta, se hace a fuego fuerte. También están las mejores ensaladas verdes, arvejas frescas, espárragos tiernos y frescos con huevos pocheados, alcauciles (siempre con la mano) y una buena vinagreta, tartas. Para esperar el verano, las mejores frutas, platos fríos, tomates increíbles, higos con queso de cabra, pescados a la parrilla, helados y cerezas, muchas cerezas.

Pero, hagamos una cuenta: ¿cuántos alimentos diferentes comemos en casa en una semana? Carnes (vacuna, pollo), harina (pan, pastas, masas), azúcar, papas, lechuga, tomate, queso, arroz, cebolla, manzana, naranja… ¿A cuánto llega la cuenta? ¿Qué variedad de alimentos consumimos realmente?

Muchas veces comemos bife con ensalada de tomate y lechuga o papas fritas, ravioles con salsa bolgnesa, pizza –yo pido pizza por teléfono, que espero con el horno caliente, obvio–, empanadas, milanesas con puré, sandwich de lomito. Y en realidad estamos comiendo entre los mismos cinco y siete ingredientes en distintas formas y presentaciones. Una alimentación ideal debería contar con al menos noventa productos distintos como la dieta mediterránea. Los japoneses comen más de ciento cincuenta cosas diferentes en una semana.

Con el solo hecho de tratar de no repetir tanto un alimento, estamos tratando de comer mejor.

Y si hablamos de elecciones de comida, el tema nos lleva directamente a las elecciones de compra. No compremos siempre lo mismo. Cada visita al mercado, con o sin tiempo, debe ser diferente, porque los productos no son siempre los mismos, las estaciones cambian. Hay que obligarse a variar. Después de hacerlo costumbre, se disfruta de la sorpresa. Por eso, adiós a la receta y a la lista de compras al entrar al mercado.

Einstein dijo que locura es hacer lo mismo una y otra vez y esperar resultados diferentes. No esperemos cambiar si compramos siempre lo mismo y de memoria. No tenemos que ir sabiendo qué vamos a comprar –por supuesto que hay necesidades básicas, pero no hablo de eso–, porque no sabemos qué vamos a encontrar. Si nuestra receta dice papas, y las papas están horribles, cambiemos lo que vamos a hacer. O si teníamos en mente hacer zapallitos rellenos, y cuando llegamos a la verdulería las zanahorias están espléndidas y mejor que los zapallitos, tenemos que saber decidir y cambiar. Para eso nos sirve cocinar sin receta. Para divertirnos, para probar o para empezar. Porque el objetivo final es la libertad de improvisar con la oferta.

En la cocina encontramos dos tendencias generales que se repiten, como todo, en ciclos. De una manera pretenciosa, podríamos llamar "modernista" a una forma de cocinar que pasa por ver hasta dónde se puede llegar en un

plato si se le sacan cosas. Ver cómo funciona un ingrediente principal, uno secundario y al menos uno estacional y una nota de color (especia, hierba, vinagre). Así se trabaja en la cocina japonesa, por ejemplo, o en parte de la mediterránea.

Siguiendo con esta idea, podemos hablar de cocina "posmodernista" cuando en una receta básica, en lugar de quitar, agregamos ingredientes o procedimientos. Paradójicamente, en general se trata de cocinas que surgen tanto de situaciones de adversidad (económica, climática) como de cierta "abundancia". Por esta vía se llega a sabores inimaginables de los

que más de una vez surgen nuevos "clásicos". Cualquiera de estos dos caminos —modernista o posmodernista— es entretenido, y cada cual encuentra su estilo en uno u otro. Lo que sí es seguro es que ambas maneras de cocinar dependen mucho de la materia prima.

Por eso, tenemos que comprar lo que está en su mejor momento, lo que "viajó" menos y es de mejor calidad. Pero tampoco vamos a negar que hay muchos motivos de compra que nos distraen: que es lo más "práctico", que tiene tapa a rosca, que lo conseguimos en todos lados, que viene en envase descartable, que está listo para comer, que tiene buen precio… Lo social, que de la mano de la marca se transforma en un símbolo de estatus —si "tal" persona lo usa, es bueno mas allá de su precio y calidad—, y también lo emocional, que funciona generalmente a través del diseño y nos envía un mensaje que nos representa. Tenemos la oferta que nos merecemos. Hay que dejar de ser inocentes a la hora de comprar. A veces veo la cara de desconcierto de algunos frente a la góndola de los melones cuando no saben cuál agarrar, pero a la heladera de la leche, por ejemplo, la gente va sin dudar a la marca que conoce. Las marcas venden certeza y seguridad, nos sirven de control y de guía. Pero la lealtad ya no es un regalo, hay que ganarla. Cada vez que compramos, votamos.

No perdamos de vista que cada innovación o invento en la industria de los alimentos nace de una necesidad nuestra en tanto consumidores. Queremos más vitaminas, menos calorías y más salud. Pero en lugar de buscar todo eso por nuestros propios medios, a través de un cambio de hábito en nuestras compras (poniendo más atención y dedicación), pretendemos comer siempre lo mismo y que los productos se acomoden a nosotros. Así que o cambiamos, o nada cambia.

Algunos consejos a la hora de comprar

• Muchas veces, ir con un menú cerrado de antemano nos impide mirar lo que tenemos adelante.

• La lista de compras tiene que servir nada más que como ayudamemoria, no se trata del guión de una película que tenemos que respetar sí o sí.

• Voces autorizadas. Además de mirar, tocar, oler y probar, hay que escuchar. Hay que preguntarles a las señoras que hacen siempre sus compras en el lugar en el que estamos: nadie conoce mejor que ellas qué es lo que está bien, qué no y qué hacer con…

• Los verduleros, pescaderos, carniceros –que siempre disfrutan lucirse con sus conocimientos– son una gran fuente de información. La primera vez que los consultemos puede que no nos lleven mucho el apunte, pero si volvemos y nos hacemos asiduos, se puede dar comienzo a una "linda" relación. Siempre es bueno tenerlos de amigos y consejeros (y ellos nos van a cuidar como clientes).

• Los supermercados deben tener variedad de productos y opciones; si no las hay, es porque buscan nada más que precio y no servicio ni calidad. Si vamos a almacenes chicos, elijamos siempre los que no son de cadena.

• Productores regionales. Tengamos en cuenta que cada fruta o verdura de estación tiene las propiedades nutritivas necesarias para ese momento del año.

• Siempre: leer los ingredientes de los envases y los paquetes, no sólo la tabla nutricional. Si no sabemos de qué se trata algo, lo buscamos en la web.

• Los envases no deben estar ni golpeados ni magullados. Las letras tienen que estar bien legibles (si no se ven, por algo es).

En estación

Las estaciones del año están cada vez más confusas: calor cuando se supone que debería estar fresco, frío intenso seguido doce horas después por un calor tremendo. Ya casi no hay parámetros. Y la confusión se extiende a las góndolas de los supermercados, a las verdulerías, donde en cualquier momento del año encontramos productos fuera de su temporada y, por ende, de su lugar. Esto no significa que los tomates –mi ejemplo favorito– que compramos en invierno vayan a ser feos. Sí, van a ser mucho más caros, rojos, brillantes y para la foto; pero gusto a tomate, como la naturaleza manda, ni parecido. Y así pasa con muchos productos que para llegar a nosotros fuera de temporada sufrieron meses en cámaras frigoríficas, algunos alteraciones genéticas, otros viajaron kilómetros en heladeras o fueron rociados con químicos para que duren más, o maduren más o menos rápido.

En cambio, los vegetales y frutas frescos de estación hay que venderlos rápidamente porque están en su punto, son más ricos, fueron cosechados poco tiempo antes… Y encima son mucho más baratos.

Una de las culturas amantes de la comida que más respeta las temporadas de los alimentos es la japonesa. En el Japón se hace una fiesta para celebrar cada retoño de cerezo, castaña, melón, hongo matsutake, o la época de pesca del pez limón. Y lo que consumen fuera de época lo hacen en conserva.

Entonces, lo ideal es aprovechar las frutas y las verduras cuando tienen lo mejor para dar. Su disponibilidad puede variar según el país o la región donde vivamos. Aquí he elegido frutas, verduras, carnes y pescados que conocemos en Sudamérica, asesorada por la gente que más sabe del tema.

primavera
Verde, mucho verde...

VERDURAS Y HIERBAS
acelga
albahaca
alcaucil
apio
arvejas
bok choy
endibia
espinaca
espárrago verde y blanco
gírgola
haba
hongo y morilla
jazmín
judía verde
lechugas (todas)
nabo
papa
perejil
puerro
radicchio
remolacha
repollo
vegetales baby
zapallito y zucchini

FRUTAS
ananá o piña
banana o plátano
cereza
ciruela
damasco
durazno o melocotón
frambuesa
frutilla o fresa
guayaba
kiwi
limón
naranja
palta o aguacate
pera
pomelo
sandía

PESCADOS Y CARNES
merluza
pescados azules, como
el atún rojo
cordero patagónico
(en el sur del continente
americano)

Esta temporada trae uno de mis productos favoritos: las arvejas, para preparar en puré, ensaladas, con pasta, con arroz, o simplemente con un poco de manteca.

Empiezan los lindos días para hacer comidas al aire libre, pescados, carnes y aves a la parrilla con ensaladas bien frescas.

verano

Frutas y más frutas...

VERDURAS Y HIERBAS
albahaca italiana
albahaca morada
ajo
arvejas
berenjena
calabaza o zapallo anco
cebolla de verdeo
cilantro
chaucha, chaucha japonesa
choclo
echalotte
estragón
flor de zucchini
lavanda
morrón
okra
papa
pepino
pimiento verde
rabanito
remolacha
tomate
tomillo
zapallo
zapallito y zucchini

FRUTAS
ananás o piña
arándano
carambola
cereza (corta temporada)
ciruela
damasco
durazno o melocotón

frambuesa
higo
kiwi
limón
lychee (corta temporada)
mango (corta temporada)
manzana
maracuyá
melón
mora
pelón
pera
sandía
uva

PESCADOS Y CARNES
trillas de costa y de roca (¡estas últimas
son las mejores!)
atún rojo
truchas
langostas
cabrito
cordero
bife o bistec (sin hueso)

Los tomates están tan buenos que se dejan comer como frutas. O cortados al medio con aceite de oliva y una rica sal.

Higos y cerezas: hay que aprovecharlos en cuanto se los ve en las verdulerías. Tienen temporada muy corta, pero ya sabemos: lo bueno, si breve…

otoño

Calor de hogar... usemos el horno

VERDURAS Y HIERBAS

ajo
apio
apio nabo
batata
berenjena
berro
brócoli
cardo
cebolla, cebolla colorada
cebolla de verdeo
coliflor
chaucha
espinaca
gírgolas
hinojo
hongos
lechugas
nabiza
papa
puerro
rabanito
radicheta
radicchio
remolacha
repollo colorado
repollito de bruselas
rúcula salvaje
zanahoria
zapallo angola, cabotea,
kuky, amarello, budín,
marmolado, plomo
zucchini

FRUTAS

carambola
chirimoya
granada
limón
mandarina
manzana fuji, gala,
golden, granny smith,
red, rome
membrillo
naranja
palta o aguacate
papaya
pera danjou, packams,
red barlet, williams,
winter barlet
pomelo

PESCADOS Y CARNES

besugo
chernia
trucha
liebre, conejo salvaje
carnes de caza
pato

Peras con quesos, en tortas y tartas, solas de postre, horneadas, en ensaladas, cocidas en vino....

Una placa de vegetales rociados con oliva, un poco de hierbas, sal, pimienta y al horno. Y si son de color anaranjado, un toque de azúcar.

24

invierno
Vegetales de raíz y cítricos

VERDURAS Y HIERBAS
acelga
batata
berenjena
berro
brócoli
calabaza o zapallo anco
coliflor
endibias
escarola
espinaca
hongos
lentejas
nabo
nabiza
papa
puerro
radicheta
remolacha
repollito de bruselas
repollo
salsifí
zanahoria
zapallo angola, cabotea,
kuky, amarello, budín,
marmolado, plomo

FRUTAS
banana
frutilla
guayaba
lima
limón
mandarina
naranja
pera
pomelo
quinoto
satsuma

PESCADOS Y CARNES
bacalao (de potentes
perfume y sabor)
besugo
corvinas rubia y negra
chernia
merluza (la de pincho, pescada una
por una; no la común)
trucha
carnes y aves de caza:
perdiz, faisán, codorniz,
liebre, conejo salvaje
rabo y patas de chancho

Aprovechar que hay que estar bajo techo para
hacer muchos dulces y conservas.

Sopas, muchas sopas… todos los días sopa:
cremosas y ligeritas. Sopas de todo, con todo
y para todos.

En casa: qué saber, qué tener

La cocina tiene que tener vida y ser usada. No se trata de armar una góndola de supermercado en casa, sino de tener a mano un surtido básico de alimentos frescos y secos, cada cual según sus gustos, pero que nos permita preparar algo en cualquier momento. Por eso, no hay que malgastar comprando lo que nunca vamos a usar (muchas veces me encuentro con un paquete de cualquier cosa vencido hace dos años y me da mucha bronca). Cuando visito a alguien, no me resisto a abrir su heladera; es lo mismo que me pasa con los discos. Muchas veces, algunas personas me cayeron mejor después de husmear en su cocina o en su discoteca (otras, al revés). Esta lista comprende lo que, idealmente (siempre falta algo), tengo o trato de tener en casa.

En la alacena

Una alacena debe estar surtida. Pero no tenemos que sobrecargarla.
Sólo tiene sentido si vamos a usar, eventualmente, todo lo que tiene…

● ACEITES: de oliva; yo trato de tener dos; uno de mejor calidad (ojo que a veces los más caros no son los mejores) para usar crudo y otro más común para cocinar. Para freír prefiero el mezcla o de girasol. Adoro el aceite de sésamo (asegúrense de que sea tostado, mucho más aromático se usan apenas unas gotas).

● ACEITUNAS: prefiero comprarlas sueltas a granel.

● AJO Y CEBOLLA, ECHALOTES: básicos… sin discusión. La vida, sin ajo, no es vida. Se guardan en un canasto en lugar fresco y con poca luz. Ojo con los ajos brotados, el aliento no se los saca nadie.

Alcoholes: oporto, marsala o jerez para cocinar. Tengo un bar bien provisto aunque tomo muy poco alcohol (odio la resaca). Prefiero la calidad a la cantidad, siempre.

● ANCHOAS: salvan una pasta, una manteca, etc. Si las abren, cúbranlas con aceite, pónganlas en un recipiente y refrigeren; duran así hasta dos meses.

● ARROCES: un auténtico salvavidas y uno de los productos más nobles. Trato de tener de varias clases. Los más comunes, carolina o fortuna, como básicos. Carnaroli o arborio, para risottos. Aromáticos (basmati, thai, jasmin o thasmin) para hacer solitos, como acompañamiento. Yamaní o algún integral. Y nunca, nunca (sin excusas) los de bolsita o los parboil.

● AZÚCAR: blanca, rubia, negra e impalpable. A temperatura ambiente y en paquetes cerrados o frascos. Además, siempre tengo miel (si hay hormigas, poner el frasco en un platito con agua).

● CAFÉS Y TÉS: La verdad es que mis mañanas cambiaron desde que con un simple molinillo eléctrico muelo el café en el momento: es otra cosa, totalmente. Me gusta el colombiano en especial. Y lo guardo en la heladera.

Tés tengo muchos, adoro el té. Siempre en un lugar oscuro y fresco. Tomo muchos tés de hierbas (sin cafeína), té verde, de jazmín, blends especiales, el de mis amigos "José", que es orgánico. Me encanta el mate cocido como me lo hacía mi abuela: en taza bien grande y con un poco de leche.

● CALDITOS EN CUBOS: Sí, el caldo casero es mejor; pero seamos realistas, no siempre tenemos. Cuando era chica, me los robaba de la cocina para comerlos de a pedacitos.

● CHILES SECOS: simple: los frescos que no llego a usar, los ato con un hilo y los cuelgo en la cocina. Son decorativos y están listos para entrar a la olla.

● CHOCOLATE: mejor que sea chocolate negro amargo, que tiene más cacao. También cacao en polvo, para repostería. Y siempre tengo mi favorito, con almendras tostadas y sal maldon.

● CHUTNEY: siempre tengo alguno hecho con las últimas frutas o verduras de la temporada, que es el momento para hacer conservas, como el final del verano.

Remojar 1/4 taza de maní o almendras y 1/2 taza de pasas de uva en 500 ml de vinagre de vino, por 15 minutos. Picar 1 k de melón verde, 250 g de jengibre, 2 cebollas, 2 dientes de ajo, 1/2 k de manzanas verdes y 1 pimiento rojo. Poner todo en una olla que no sea de aluminio junto con 2 k de azúcar blanca, 1/2 k de azúcar morena, sal y pimienta, ají molido y el jugo de 1 limón, y cocinar por 1 hora aproximadamente, a fuego medio.

● ESPECIAS: no es necesario tenerlas todas, pero sí es bueno, cada vez que vayan a hacer las compras, llevarse una nueva. Compren de a poca cantidad, tienen vida bastante corta, y acuérdense de tenerlas en frascos o latas bien cerrados. Y que no les dé la luz.

● HARINAS Y DERIVADOS: por lo general tengo harina 000 y 0000. Y avena, trigo, salvado, etc., no todas, pero siempre tengo alguna. En paquetes cerrados o en frascos.

● LATAS: tomate en cubos o puré; atún, garbanzos o porotos (antes tenía palmitos, pero después de probarlos frescos no puedo volver a los de lata) y no mucho más. Que no estén golpeadas.

● PASTAS SECAS: ya no hace falta ser italiano para sentir las pastas como un plato propio. A mi alacena le pueden faltar cosas (uno siempre se olvida de algo), pero nunca pasta: municiones (mis favoritos, los más chiquitos, de sopa), spaghetti, pasta corta (me gusta tener para elegir según la salsa), etc. Frescas, en heladera pueden durar 5 días. Si las congelan, recuerden ponerlas directamente en agua hirviendo al sacarlas del frío.

● PIMIENTA: y pimentero de molinillo que la acompañe. Negra es la básica. En ambiente seco, dura todo lo que tarden en usarla.

● SAL: fina común, gruesa, semigruesa o parrillera y marina. Y siempre que puedo compro las importadas. Y no necesito recordarles que no hay nada peor que quedarse sin sal.

● SALSAS Y ADEREZOS: de soja (gasten un poco más y que sea buena). Tabasco, infaltable. Mostazas, me encantan y

las compro indiscriminadamente (Dijon, en grano, común). Salsa inglesa. Ketchup (hay cosas que se comen con ketchup sí o sí). Y mi favorita: mayonesa; yo soy de las que comen papas fritas con mayonesa. (Si la hacen casera, hay que comerla en no más de 2 días). Tengo decenas de botellitas con salsas picantes, agridulces, orientales, etc.

- Vinagres y acetos: trato de que no me falten vinagre de jerez y de alcohol. Con respecto al aceto, es mejor tener uno bueno y cuidarlo. Y siempre, antes que un aceto mediocre, un vinagre digno.

- Vino tinto: en lo posible recostados y nunca en el sector caluroso de la casa (lo ideal es una temperatura promedio de 15º C). Y si es en un lugar con poca luz, mejor.

En la heladera

Una heladera vacía es una imagen muy triste. La heladera dice mucho de nosotros. Hagamos honor a que tenemos refrigeración y surtámonos de alimentos frescos para consumir.

- Botellas de agua: muchas, ya que agua es lo que hay que tomar. Si no pueden resistirse a comprar alguna gaseosa, traten de que sea sólo para sacarse el gusto, pero lo ideal es no tener sólo bebidas dulces en la heladera.

- Cerveza: bien fría, por si comemos algo oriental.

- Fiambres: panceta. Amo el jamón crudo, cortado muy, muy finito, casi transparente. El jamón cocido que sea natural: los aditivos que le ponen son un asco. Siempre bien tapados (con separadores de plástico) y envueltos a su vez en papel o en un envase hermético, porque el oxígeno los arruina.

- Frutas y verduras: los limones son básicos. Unas gotas completan una comida. El cajón de abajo de la hela-

dera no es un depósito ni un cementerio. Compremos lo que sepamos que vamos a consumir. Tirar comida está mal, no se hace. Así de fundamental y simple. Vayan más seguido a la verdulería. Las manzanas y otras frutas duran más tiempo si no están en contacto entre sí. Los tomates, bananas, papayas y otros frutos que vienen de zonas calurosas no se guardan en el frío, porque, aunque así duran más, pierden sabor. Pero los compramos para comerlos, no para mirarlos.

- HIERBAS: si sobran, séquenlas colgadas boca abajo.
- HOJAS VERDES: otra vez: compren lo que vayan a comer. Envuelvan las hojas en plástico (saquen la mayor cantidad de aire posible). Pueden poner papel de cocina (el blanco, grueso) entre las hojas para que absorba la humedad excesiva.
- HUEVOS ORGÁNICOS: los de mi mamá, recién traídos del campo. Hagan la prueba: compren huevos comunes y compren de campo. Acá valen la pena esos centavos de más. Si es por ahorrar, ahorren energía, apaguen luces y compren mejores huevos (esta regla va para muchas cosas).
- LECHE.
- MANTECA: Siempre bien envuelta o en mantequera.
- MERMELADA y DULCE DE LECHE.
- PESTO O TAPENADE: guardar en frascos de vidrio, con aceite de oliva arriba para protegerlo.
- QUESOS: queso crema, mozzarella o queso fresco y un buen duro para rallar. Esos son los básicos. Pero siempre me hace feliz tener algún queso rico para picar o para cocinar. Eviten comprar variedad, compren menos de lo que su impulso dicte, porque tener pedacitos secos de quesos sin identificar es un desperdicio.
- VINO BLANCO o ROSADO: para beber o cocinar.

En el freezer

Otro lugar que no debería ser un depósito de paquetes inidentificables. Es mejor no guardar muchos tuppers porque ocupan lugar. No hay que sobrecargarlo, sino tener sólo lo necesario. Lo que no quisimos comer en el día es probable que tampoco nos guste después de un mes.

- ARVEJAS: las amo.
- BRÓCOLI: para gratinar o con pastas.
- CAMARONES Y LANGOSTINOS: si no los van a cocinar ese día, es mejor guardarlos directamente en el freezer apenas lleguen del mercado y descongelarlos en la heladera cuando los necesiten.
- CALDOS Y GUISOS: conviene congelarlos en porciones individuales dentro de una taza con bolsita de plástico. Cuando se solidifica, sacan la bolsita de la taza y la atan. Muchas recetas piden una taza de caldo.
- CARNES: siempre frescas, en porciones y con fecha.
- CREMA: hay que batirla cuando se descongele, antes de usarla.
- FRUTOS ROJOS: pueden guardarlos en bolsitas.
- MANTECA: común o saborizada. Envuelta en papel film, como un caramelo.
- PANCETA: cortar en porciones antes de llevarla al freezer. Siempre bien envuelta en plástico y luego en papel aluminio. Etiquetar y ponerle la fecha.
- PANES, MUFFINS, BUDINES, BIZCOCHUELOS O MASAS CRUDAS DE TARTA.
- PASTA RELLENA: primero ponemos las piezas sobre una fuente o plato, bien separadas. Una vez congeladas, las embolsamos en porciones.
- QUESO: pedacitos sobrantes, para agregarlos a sopas, guisos, etcétera.
- PIZZA: (véase "Básicos", pág. 49) divididas entre sí con separadores; envuelvan a su vez todas en papel film.

¿Cuánto duran?

Muchas veces no sabemos cuánto tiempo podemos guardar los alimentos, aunque la mayoría lo aclara en las etiquetas. Estos tiempos sólo sirven si se respetó la cadena de frío.

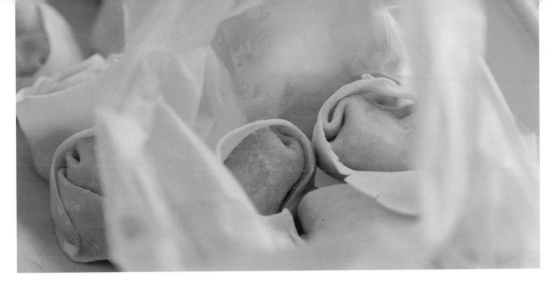

COMIDA	HELADERA	FREEZER	Observaciones
Tortas, panes, rolls	1 a 2 días	2 meses	
Manteca	2 semanas	3 meses	Bien envuelta
Quesos cottage y ricota	3 a 5 días		No congelar
Quesos blandos	1 a 2 semanas	2 a 3 meses	
Quesos duros	3 meses	6 meses	
Huevo	30 días		Las yemas o claras crudas, hasta 1 año en el freezer
Frutas cítricas y manzanas	1 semana		
Frutos rojos	3 a 5 días		Se pueden congelar al natural y cocidos
Vegetales de raíz	1 a 2 semanas		
Vegetales de hoja (lechuga, espinaca, etc.)	3 a 5 días	1 año	Mantener envueltos en bolsas o papel
Vegetales cocidos	1 a 3 días	hasta 10 meses	
Pescado crudo	1 día	hasta 10 meses	Aislado
Pescado cocido	hasta 2 días	hasta 10 meses	
Carnes crudas	cerdo: 1 día vacuna: 2 días	2 a 4 meses	Aislados
Carnes cocidas	2 días	3 meses	
Pollo crudo	hasta 2 días	hasta 6 meses	Aislado
Pollo cocido	1 a 2 días	6 meses	
Sopas, guisos	hasta 2 días	2 meses	

De todas maneras, creo que tener algo en el freezer más de un par de meses no tiene sentido.

Equipados

Cuando hablamos de un kit básico me refiero a utensilios realmente usables. En muchas casas de productos de cocina o bazares se ven ollas modernas, accesorios que nos impresionan estéticamente. No compremos ni lo más específico ni lo más sofisticado. Y tengan en cuenta que muchas veces el "diseño" no entra en el cajón.

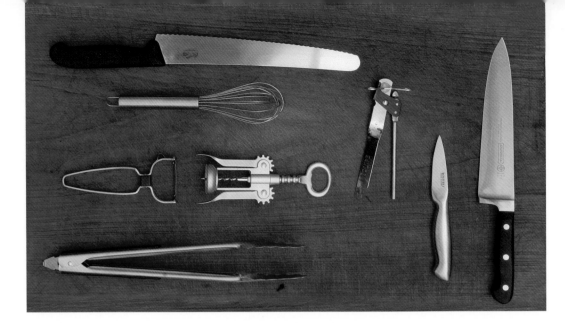

El fundamental

Para empezar, si no son "grandes cocineros", pero gustan de la cocina, olvídense de todos los elementos que no estén en esta primera lista. Tal vez más adelante les sirvan, pero por el momento sólo van a molestarlos. Como en todo, es preferible no tener nada más que aquello que vamos a usar: todo lo que hace bulto desordena.
Y, para trabajar, lo más importante es un lugar cómodo y agradable.

- ABRELATAS: que funcione... Y si no anda, a la basura. Nada de dejarlo dando vueltas por ahí.
- BATIDOR DE ALAMBRE: es un ícono.
- BOLS DE TRABAJO: de 2 o 3 tamaños, fácil lavado y resistentes a las caídas. Es lo que más van a usar.
- CACEROLA PARA PASTA GRANDE Y COLADOR.
- CACEROLAS: chica y mediana. Es mejor comprar dos buenas que un juego de ocho regulares. Claves: cuanto más grueso el fondo, mejor. Siempre de hierro o acero inoxidable (eviten el aluminio), y que no tengan mango de plástico.
- CUCHARA DE MADERA: varias, porque se queman, se impregnan... Hay que guardarlas siempre fuera del cajón, porque la madera debe orearse.
- CUCHARÓN: de cualquier tamaño o modelo.
- CUCHILLA DE CHEF: tamaño mediano a la medida de la mano del cocinero, bien afilada. Es de uso personal y no de la casa: hay que pedirle permiso al dueño para usarla.
- CUCHILLA PARA PAN: cuántos panes sufren el uso de un filo sin serrucho…
- CUCHILLO CHICO: afilado y manejable.
- ESPÁTULA DE GOMA: indispensable si alguna vez van a hacer cualquier postre.
- ESPUMADERA: de cualquier tamaño o modelo.
- JARRAS Y CUCHARAS MEDIDORAS: si estamos empezando a cocinar es muy tranquilizador saber cuánto es exactamente una taza o una cucharada. Se venden en cualquier supermercado.
- PELAPAPAS: 2 o 3; se esconden muy bien en el cajón.

- PIMENTERO: hasta el que no cocina debería tener uno. En esto sí vale la pena gastar unos pesos de más.

- PINZA: pinchar la carne para darla vuelta, nunca más.

- PLACA PARA HORNO: la que viene en el horno es muy grande, buena para piezas grandes de carne. Recomiendo tener una más chica (40 o 45 cm) y con bordes altos, para hacer pollo, lasagna, etcétera.

- PLANCHA: de hierro común, cuanto más pesada, mejor, sin teflón ni nada; y a usarla mucho para que se ponga buena. Si alguna vez se preguntaron por qué los bifes de sartén no les salían buenos, ésta es la respuesta: tiene que curtirse primero. El (no tan) secreto es al principio limpiarla sólo con un trapito húmedo, para que no se oxide, y nunca fregarla para que se forme esa capa negra y rugosa de grasa cocida que constituye el alma de la plancha. Este principio también corre para el wok y la sartén de hierro.

- RALLADOR: común y corriente.

- SACACORCHOS: el modelo que más les guste.

- SARTÉN CON MANGO DE HIERRO: al tener mango de hierro, sirve de sartén y minifuente a la vez, ideal para terminar cocciones en el horno. Puede ser de teflón, para pescados y huevos.

- SARTENES GRUESAS CON MANGO DE HIERRO: son las que más uso para salsas, risottos, vegetales, etc. También hace falta una con paredes más altas, para freír.

- TABLA DE MADERA: cuando se curve, cambiarla. Guardar siempre en lugar seco y de vez en cuando ponerla un ratito al sol.

- WOK: el más común, barato y de hierro (nunca teflón), bien curado. Guardarlo en un lugar seco, junto con las tablas. No deberíamos ponerlo bajo la bacha de lavar, donde hay mucha humedad.

El intermedio

Ya cocinamos mucho, somos aficionados, nos gusta y nos dedicamos a mejorar y a comprar más equipamiento.

- ARAÑAS: para sacar cosas del aceite o agua hirviendo.
- BALANZA: si gustan de la pastelería, sí o sí.
- BATIDORA ELÉCTRICA.
- CACEROLA DE BARRO O DE HIERRO FUNDIDO: hablamos seriamente de guisos.
- CHINO: el chino muestra que saben lo que hacen…
- CUCHILLO PARA CARNE, FLEXIBLE.
- ESPÁTULAS DE GOMA.
- HILO DE BRIDAR: hilo marrón resistente. Una vez que se acostumbren a usarlo, realmente les servirá.
- MOLDE PARA TORTA: con uno basta, pero si les divierte la repostería, hay miles de formas y tamaños diferentes.
- MORTERO: no usarlo para guardar monedas o aspirinas; el mortero es amor a la comida y usarlo hace bien.
- PALO DE AMASAR: de madera, debe orearse.
- PICOS PARA BOTELLAS DE ACEITE.
- PINCELES: de cerda y de silicona, con dos es suficiente (uno para dulce y otro para salado).
- PROCESADORA O MIXER: la regla debe ser: el que usa, lava, seca y guarda; si no, siempre se pierden partes o accesorios.
- SECAVERDURAS: sólo si la cocina es lo suficientemente espaciosa, ya que ocupa mucho lugar.
- TABLA DE PLÁSTICO: para usar sólo con carnes, pollos, pescados, etcétera.
- TAMIZ: otra vez la pastelería; hay unos manuales chicos, muy útiles.

40

El profesional

Si tienen cualquiera de estos utensilios y realmente los usan, ya están listos para cualquier desafío culinario.
Muchos de estos aparatitos específicos además de ser muy lindos, son también útiles.

- ABRIDOR DE OSTRAS.

- BATIDOR JAPONÉS PARA TÉ VERDE EN POLVO.

- CEPILLO PARA LIMPIAR HONGOS.

- MOLINILLO DE SÉSAMO.

- PINZA PARA LANGOSTA.

- RALLADOR DE ACERO QUIRÚRGICO.

- SOPLETE MANUAL.

- TERMÓMETRO.

- VAPORERA DE BAMBÚ.

Otras herramientas para tener a mano

PAPEL FILM

PAPEL ALUMINIO

PAPEL DE COCINA

ETIQUETAS PARA ROTULAR COMIDA EN EL FREEZER

BOLSAS DE PLÁSTICO DE DISTINTO TAMAÑO

SEPARADORES PLÁSTICOS

FRASCOS CON ROSCA (PARA CONSERVAS, CHUTNEYS Y SALSAS)

BANDITAS ELÁSTICAS

GANCHOS O CLIPS PARA CERRAR PAQUETES ABIERTOS

CINTA ADHESIVA

HILO DE ALGODÓN

TIJERAS

Mis básicos

Los libros de cocina que usaban nuestras abuelas o madres no se parecen en nada a los actuales: antes se partía de la base de que uno "sabía" cocinar. En todas las casas se cocinaba, y lo básico se aprendía nomás de verlo. Ahora, algunos libros nos llevan de la mano, nos invitan a hacer las cosas más simples, porque, por momentos, alguno se puede sentir medio perdido. Una sensación que a nadie le gusta, y menos todavía si se tienen tres sartenes en el fuego y el horno al máximo.

Algunos de nosotros tuvimos la suerte de tener la cocina activa en casa mientras crecíamos. Otros fuimos más afortunados todavía: podíamos mirar o directamente participar de lo que pasaba. Por eso, que la mejor cocina se aprende en casa no es una novedad. Después podemos ir a escuelas, aprender nombres y cortes, ver televisión y copiar recetas o bajarlas de internet. Pero todos sabemos que un buen cocinero no necesita de una receta para ver qué hace con lo que hay en la heladera. Porque, si sólo nos acotamos a copiar recetas, nos vamos a perder el placer de hacer nuestras propias recetas. Así que, en ese sentido, algo es claro: no sirve intentar hacer "pechuguitas rellenas con castañas glaceadas sobre nido de batatas en hilos…" si antes no sabemos cuánto tiempo tiene que estar un pollo entero en el horno. Sería como empezar al revés. Entonces, si no tenemos la suerte de conocer algunos secretos de familia, primero lo primero: lo básico.

Es probable que la lista que ustedes tengan de básicos sea distinta de la mía o de la del vecino, pero seguro les va a servir para agregar un toque personal, una idea de cómo hacer algo un poco distinto. Todos tenemos esos comodines que vuelven y los repetimos bastante seguido. Cuando aprendan una nueva receta, háganla una, dos, tres veces, anotando siempre (la memoria falla) cada cosa que hicieron diferente. Hagan suyas las recetas, aprópiense de ellas y siempre recuerden: las fórmulas no importan. Podemos leer mil veces cómo hacer una salsa blanca, pero, hasta que no nos sale, no sabemos hacerla.

Una vez que se sientan cómodos con algunas comidas básicas dejen que el instinto haga lo suyo, inventen un poco. Si no cocinan mucho, eviten los platos complejos (soufflé o tempura, por ejemplo, descartados), porque, para empezar, hay que sentirse cómodo con lo que uno hace: no entrar en pánico es fundamental. Tengan el talento o la destreza que tengan, en la cocina siempre van a necesitar de los básicos: platos fáciles de hacer que nos recuerdan a la cocina hogareña.

En esta lista que les propongo a continuación es seguro que dejo algunos de sus básicos afuera. Obvio: cada cocinero tiene los suyos. Tampoco, como verán, se trata de una lista organizada por producto o por nivel de elaboración, porque está armada nada más que de acuerdo con mis ganas de animarlos a que se animen. Sin exigencias, con datos muy sencillos que les permitirán sentirse reconfortados y orgullosos de probar o compartir con algún ser querido un rico plato que no tiene por qué ser muy complejo (para eso ya está la vida diaria). Por eso, insisto: para encontrar el punto justo de cada plato no hay otro secreto más que repetirlo.

Hay que equivocarse, ensuciar, hacer desastres. Sólo así vamos a ir descubriendo los tiempos y los secretos de la cocina.

Por eso, les paso nada más que mis bases, para que luego se atrevan a crear y a usar lo que encuentren al paso. Para que empiecen a guiarse por sus ganas, su paladar y su olfato, por todo aquello que les inspire un ingrediente. Para olvidarse de las reglas estrictas y mantener vivas (cada uno a su manera) las recetas.

Pollo al horno con vegetales y salchichitas

Si hay olor a pollo al horno, hay olor a casa, a cocina. Siempre que un pollo entra al horno, no veo por qué no acompañarlo con algunos vegetales. Preferentemente, papas y cebollas. Si no, lo que haya. El sabor de las verduras, los ajos y las hierbas (cosas tan simples) hacen que me sienta feliz. Pensar en esas papas de bordes dorados embebidas en los jugos de cocción... Sí, me pone contenta.

- Precalentar el horno a 200º C con la fuente adentro (este paso es tan importante como ponerle sal al pollo). Retirar el exceso de grasa de un pollo, si es de campo, mucho mejor. Siempre es bueno conocer su peso, aunque sea aproximado. Lo ideal es que no tenga grasa debajo de la piel (debe concentrarse nada más que en ciertos lugares); si la tiene, se trata de un animal de criadero. Salpimentarlo muy bien.
- Machacar algunas hierbas (salvia, romero y tomillo) con 2 dientes de ajo, sal, pimienta, aceite de oliva (acá es donde un mortero nos viene bien) y frotar con la mezcla todo el pollo, inclusive debajo de la piel. Colocarlo sobre una rejilla y llevarlo en una asadera al horno por 20 minutos.
- Blanquear unas papas cortadas en tres (esto es, cocinarlas durante 5 minutos partiendo de agua fría), colarlas, y mezclarlas con unas cebollas cortadas en cuartos y algunas zanahorias al sesgo, es decir, en diagonal y un poco más chicas que las papas.
- Colocar todos los vegetales en un bol, agregar el resto de las hierbas con aceite de oliva y ajo. Salpimentar y rociar con jugo de limón. Agregar más hierbas y más dientes de ajo enteros.
- Cortar 2 salchichas parrilleras chicas y 2 tajadas de panceta gruesas del tamaño de un bocado y mezclarlas con los vegetales.
- Acomodar el pollo en la fuente que ya habíamos calentado y agregar todas las verduras alrededor.
- Bajar el horno a 180º C y colocar nuevamente el pollo, entre 45 y 50 minutos más o hasta que, al introducir un cuchillo en la carne, el líquido que salga sea transparente. Dejar reposar antes de servir.

Si los vegetales no están muy dorados, retirar el pollo y seguir cocinándolos hasta que queden "irresistibles" a la vista.

Pollo francés

Una de las combinaciones mágicas en la cocina, por lo menos para mí, es la de estragón y pollo (también queda muy bien con tomates). Si el pollo va a tener un toque más francés… ¡muuucha manteca, sin miedo! Entre la carne y la piel del pollo ponemos unos cuantos cubos de manteca, estragón (seco o fresco: las hierbas secas son más fuertes que las frescas), sal, y pimienta. La manteca hace que, además de rico, el pollo sea más jugoso. Alrededor ponemos batatas cortadas, echalotes enteros (me gusta ponerlos con piel para después exprimirlos y retirarles la carne hecha puré), un poco de panceta y algunos hongos bien grandes (gírgolas o portobellos son los ideales). A esta mezcla le agregamos más sal, pimienta, estragón, un poco de jugo de naranja y/o vino blanco. La cocción es igual al anterior.

Pollo relleno

En este caso, condimentamos bien el pollo con jengibre seco en polvo, comino, sal, pimienta y un poco de coriandro por adentro, por afuera y por debajo de la piel, y lo frotamos bien con oliva. Lo fundamental es que el relleno sea "pastoso", es decir, que no le sobre mucho líquido, porque de lo contrario nuestro pollito no se va a dorar. Entonces: salchicha parrillera o chorizo desgranado, cebollita dorada, ajo picado, mucho perejil picado, nueces, frutas secas o frescas, y miga de pan blanco mojado en lo que más nos guste (leche, vino, cerveza, o vinagre). Toda esta pasta la metemos adentro de la cavidad del pollo. Si no estamos muy seguros de los tiempos, cocinar el relleno previamente (sobre todo si el pollo es muy grande). Para que no se escape el relleno durante la cocción, podemos tapar la salida con medio limón o una manzana, coserlo o atar las patas y esperar lo mejor… Alrededor, mucha cebolla cortada para que haga una buena base doradita para acompañar.

Cuando hagamos un pollo al horno, si somos muchos en casa, recomiendo hacer dos con diferentes condimentos: uno para comer en el momento, y otro para guardar en la heladera. Y que cada uno ataque cuando quiera…

48

Bollo básico de masa

Siempre digo que una de las cosas que me da más satisfacciones en la cocina es poner algo en el horno y que salga espléndido, crujiente. El olor y el calor de hogar de una masa recién horneada llenan de orgullo a cualquier cocinero, aunque al principio lo que salga del horno no sea "tan" perfecto. Lo ideal para amasar es tener un bol grande y cómodo, pero eso es algo que uno compra sólo si amasa bastante seguido. Para empezar, una mesada limpia está más que bien. Otra clave importante es no poner todos los ingredientes juntos y a la vez (la harina, el aceite o el agua). Es mejor ir poco a poco, viendo qué va necesitando y qué nos va pidiendo la masa. Sobre pan, pizza y focaccia seguro vamos a encontrar muchísimas recetas, y muchas de ellas muy buenas. Pero lo que cuenta, lo importante, es que por lo menos hagamos una hasta aprenderla bien. Si vamos a hacer pan, prefiero, en lugar de aceite de oliva (o común), usar grasa derretida (la misma que se usa para freír). Da muy buen sabor y textura a la miga.

- Mezclar 50 g de levadura con 1 cdta. de azúcar, 1 cdta. de harina y un poco de agua tibia, y disolver. Con este proceso "le damos de comer" a la levadura para que crezca. Tapar y dejar que espume entre 5 y 10 minutos (este proceso depende mucho del clima).
- Colocar 1 k de harina en un bol, mezclar con 20 g de sal y hacer un hueco en el centro con la mano (el famoso volcán).
- Agregar un poco de agua tibia (en total usaremos entre 500 y 700 cm^3, 100 cm^3 de aceite de oliva y el fermento (la espuma), e ir trabajando del centro hacia los costados. Agregar agua a medida que la preparación la vaya necesitando. Lo ideal es mezclar con los dedos bien abiertos y firmes.
- Una vez que la masa esté bien unida y todos los ingredientes incorporados, formar el bollo, pasar a una mesada, y amasar durante 10 minutos. Sí, 10 minutos suena a mucho, pero es una buena forma de "descargar" tensiones. Si nos cansamos mucho, es que lo estamos haciendo con demasiada fuerza (consejo: escuchar música ayuda).

- Aplastar la masa con la palma de la mano, estirarla y doblarla nuevamente sobre sí misma. Doblar y empujar, doblar y empujar: ese es el truco.

- Colocar la masa tapada con algún repasador limpio en un lugar templado (ojo, no caliente) y dejar que duplique su volumen a lo largo de 1 hora o una 1 h 15′. ¿De qué depende el tiempo? Las variables son muchas: la humedad y la temperatura del ambiente, el tipo de harina y la "edad" de la levadura.

- Volver a trabajar a la mesada espolvoreando siempre con harina. Ahora hay que "desgasificar" la masa, porque, mientras levó, se le formaron burbujas de aire, algunas grandes y otras más chicas. Para emparejarla, la aplastamos con la punta de los dedos y amasamos un poco más.

- Finalmente, formar uno o más bollos y dejar que leven.

Con esta masa podemos hacer:

Pan

- Llevar la masa al horno, espolvorearla con más harina y hacerle algunos cortes con un cúter (trincheta) o un cuchillo bien afilado. Si levó demasiado, con cariño volvemos a formar el bollo. Entre los primeros 7 y 10 minutos de cocción el horno debe estar bien fuerte; después, bajarlo a 220/210º C. Hay que calcular que, para un bollo de más o menos un kilo de peso, se necesitan entre 25 y 35 minutos más de horno. ¿Cómo sabemos cuándo está listo el pan? Cuando al golpear su base suena hueco. Ojo, antes de cortarlo hay que dejar que se enfríe un poco.

Focaccia

En este caso, de papas, queso de cabra y romero. Pero podemos hacerla con cualquier combinación que nos guste: la clásica de romero y sal gruesa, de higos y tomillo o de tomates secos y orégano. La preparación es sencilla: nada más colocamos los ingredientes encima de la masa, los hundimos con la punta de los dedos, y rociamos todo con mucho, mucho aceite de oliva.

- Estirar 1/2 bollo de masa básica dándole forma rectangular y colocarla en un molde (a mí me gusta más en molde porque absorbe mejor el aceite).
- Dejarla levar un rato y después aplastarla con los dedos. Cubrir con una capa de papas cortadas en láminas muy finas, pintadas con oliva, y salpimentar (es mejor encimar las papas un poco, así el almidón hace que se peguen bien).
- Espolvorear con hojitas sueltas de romero y trozos de queso de cabra (no muy duro).
- Rociar con aceite de oliva, dejar levar de nuevo por 10 minutos, y llevar la preparación a un horno de 200º C hasta que se dore la superficie de las papas.
- Volver a rociar todo con aceite de oliva extra virgen apenas sale del horno.

Roll de queso brie y frutos secos

Este roll se puede hacer con cualquier relleno: cuatro quesos y nueces, o frutos rojos frescos y queso azul. Es simple y práctico, sólo hay que tener cuidado de no dejar aire ni huecos cuando lo cerramos para que no se escape el relleno. A mí me gusta como entrada (acompañado con una ensalada, por ejemplo), porque, si somos muchos a comer, resuelve rápido el primer plato y podemos tenerlo listo con tiempo. Se puede calentar antes de servir.

- Estirar 1/2 bollo de masa básica en forma de rectángulo. Pintarla con 2 cdas. de mostaza de Dijon (o alguna bien fuerte) y espolvorearla con tomillo fresco picado o alguna otra hierba.

- Cortar queso brie en fetas y extenderlo por la masa.
- Tostar algunas nueces y almendras y triturarlas no muy chicas.
- Descarozar un puñado de dátiles y picarlos junto con algunos damascos.
- Mezclar la fruta seca y esparcirla por toda la masa.
- Enrollar bien, haciendo presión y cuidando que los bordes queden para adentro y el cierre quede para abajo.
- Colocar el roll en una asadera enharinada durante 35/40 minutos hasta que duplique su volumen. Despúes, pintarlo con agua y espolvorearlo con azúcar.
- Llevar al horno a 180º C por 35/40 minutos, o hasta que, al golpear la base del roll, se sienta hueco.
- Antes de cortarlo, dejarlo reposar en una rejilla.

Calzone de zucchinis y portobellos

El calzone no deja de ser una empanada gigante. Es una preparación por demás práctica, porque podemos rellenarla con lo que nos quedó en la heladera: corazones de alcauciles, morrones asados, cebolla caramelizada, quesos, salteado de hongos… Lo que se les ocurra. La primera vez que me dieron la receta para un calzone era frito: una gloria. Si se preocupan por las calorías, no los hagan muy grandes y fríanlos en mucho, mucho aceite.

- Cortar en láminas 3 zucchinis o el vegetal del que se disponga (berenjenas, verdeo, cebollas). Saltear 200 g de portobellos (si son muy grandes, fileteados) con aceite de oliva y 2 dientes de ajo picado hasta dorarlos. Agregar los zucchinis, sal, pimienta y retirarlos. Si la preparación tiene mucho líquido, hay que escurrirla bien.
- Mezclar 1/2 taza de hojas de albahaca cortada groseramente con 1 taza de queso mozzarella o fontina (o cualquier otro que nos guste) y 1/2 taza de queso parmesano rallado finito.
- Estirar la masa en forma de círculo.
- Colocar el relleno en el centro y cerrar el calzone con la mano o con un tenedor.
- Colocar en una placa y llevar a horno a 200º C hasta dorar. También se puede freír.

Si amasamos pan para hornearlo al día siguiente, hay que dejarlo toda la noche en la heladera. Pero siempre teniendo en cuenta que debemos subir la cantidad de levadura por lo menos cincuenta por ciento.

Es sencillo: para sacarnos el engrudo de la masa de las manos, nos frotamos con más harina.

Si saborizamos nuestros panes con frutas, purés de vegetales o cualquier producto que contenga humedad, van a permanecer tiernos por más tiempo. Es por eso que la baguette o el pan francés duran poco y se endurecen: porque no contienen grasas.

Antes de guardar envuelto el pan recién horneado, hay que dejar que se enfríe del todo. De lo contrario, condensa humedad y se pone gomoso.

Si el pan lo hacemos a temperatura baja, nos va a salir con una corteza más gomosa y gruesa; si lo hacemos a temperatura bien alta, la corteza queda más delgada y crocante.

Por último. Si hacemos pan casero, cortémoslo con un cuchillo dentado. Es lo menos que se merece nuestro trabajo.

Milanesas (de cualquier cosa)

Después de haber incursionado en la cocina japonesa, hay cosas que no se vuelven a hacer de la misma manera. A mí me pasó con las milanesas. Descubrí que, con modificaciones y agregados muy simples, se podía mejorar algo que parecía inmejorable. Y estos consejos se pueden usar tanto para unos langostinos, un filet de pescado o un sandwich de milanesa de ternera.

- Cortar la carne en láminas (si no es muy tierna, que sean lonjas finitas y las golpeamos un poco; si se usa un corte más tierno, pueden ser algo más gruesas). Aplastar las fetas de carne con la palma de la mano y la ayuda de dos separadores de plástico. Cuidar siempre de que no se rompan.

- Batir huevos con un poco de perejil y 2 dientes de ajo bien picados y salpimentar.

- Pasar la carne primero por 1/2 taza de harina, después por el huevo condimentado y, finalmente, por el pan rallado aplastando todo con un poco de fuerza. Hasta acá, milanesas como siempre.

53

- Una vez que pasamos toda la carne por las tres partes del proceso, agregar un chorro generoso de agua fría a los huevos (aproximadamente la misma cantidad que tengamos de huevo) y mezclar bien.
- Volver a pasar las milanesas por el huevo con agua y una vez más por el pan rallado. Afirmar todo con las manos, pero esta vez sin aplastar.
- Un paso muy importante: hay que llevar las milanesas al frío por lo menos durante 30 minutos, bien tapadas con papel film o en un recipiente hermético para que no se humedezcan. También podemos congelarlas.
- Freír en abundante cantidad de aceite caliente (abundante es abundante, a no escatimar).
- Retirar y escurrir bien en papel absorbente.

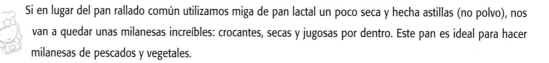

Si en lugar del pan rallado común utilizamos miga de pan lactal un poco seca y hecha astillas (no polvo), nos van a quedar unas milanesas increíbles: crocantes, secas y jugosas por dentro. Este pan es ideal para hacer milanesas de pescados y vegetales.

Milanesa de solomillo (tonkatsu)

Esta es mi versión de la milanesa de cerdo japonesa, una comida a prueba de todo:
no conozco a nadie que no le guste.

- En lugar del ajo y perejil de la receta tradicional, mezclar 2 huevos con 2 cdtas. de salsa de soja, 2 cdtas. de mirin o vino blanco con azúcar y 1 cda. de agua.
- Seguir los pasos de las milanesas, utilizando carne de solomillo o carré de cerdo y, en vez del típico pan rallado, migas de pan lactal procesadas (panko).
- Cortar 1 cebolla pluma y rehogar con 1 cdita. de jengibre rallado hasta que se dore un poco, agregar 2 cebollines de verdeo, verter en una sartén, revolver, agregar 2 huevos y retirar del fuego sin dejar de mezclar.
- Colocar la mezcla sobre arroz blanco y, por arriba la milanesa de cerdo cortada en tiras, rociar con salsa

tonkatsu (se compra con ese nombre, es una mezcla entre ketchup, salsa inglesa y barbacoa, muy rica; la uso mucho para carnes, fideos y arroces).

Al que lo haga y no le guste, no le creo.

Puré de papas

Ya se sabe: aquello que parece simple puede no serlo tanto. Con esto no quiero decir que el puré de papas sea complicado de hacer, sino que hacer un buen puré es algo más que hervir y pisar papas. Pero el esfuerzo vale la pena (¿sabían que el doble hervor, por ejemplo, evita los grumos?). De todas maneras, hay veces que, por más amor, técnica y voluntad que uno le ponga, si la papa no es buena… Así que a no desanimarse.

- Pelar las papas, retirarles todas las marcas u ojitos y cortarlas en cubos medianos.
- Ponerlas a hervir a fuego medio en una cacerola con agua y sal.
- Dejar que se cocinen a hervor suave hasta que estén al dente (duritas pero no tanto que cueste pisarlas).

- Colar el agua y dejar que se enfríen un poco.
- Colocar una vez más la cacerola con agua en el fuego y, cuando esté por hervir, incorporar las papas de nuevo.
- Dejar cocinar hasta que vuelva a romper el hervor y sacarlas.
- Pisar las papas e incorporar leche caliente y manteca.
- Condimentar con sal, pimienta y nuez moscada (ojo, la nuez moscada es muy importante: generaciones y generaciones de comedores de puré lo prueban).

CALDOS Y SOPAS

Caldo de pollo

En casi todas las culturas existe como plato el caldo o la sopa de gallina o de pollo. Dicen que restaura el espíritu y cura cualquier resfrío. En el Brasil, me contaron que cuando un esclavo se escapaba, se robaba una gallina porque le daba huevos para el camino y, si se enfermaba, se la podía comer hecha en sopa para curarse. Este cuento tal vez se relaciona con eso de que a uno lo persigan con una sopita de pollo cuando cae en cama, ¿no? Es muy bueno tener caldo casero hecho. Por eso, cuando hagan, preparen mucho. Lleva tiempo, pero es fácil.

- Antes que nada necesitamos huesos de pollo. Algunos caldos se pueden hacer con huesos crudos, pero a mí me gustan mucho más con huesos asados. Así que, si hacemos un pollo al horno, guardemos siempre los huesos o, si no, cuando se acerque el momento de hacer el caldo, pidámosle al pollero que nos dé una carcaza y la ponemos en el horno hasta que esté dorada.

• En una cacerola grande, poner los huesos un poco machacados a golpe limpio, 1 o 2 zanahorias peladas, 1 cebolla, 1 puerro, 1 rama de apio (con algunas hojas) rota a mano, una hojita de laurel, alguna ramita de perejil, sal y pimienta negra en granos enteros. En mi versión, le agrego siempre 1 choclo o 1 mazorca de maíz. Menos el apio (que cuando no está se nota), puede faltar cualquiera de los otros ingredientes que no pasa nada.

• Cubrir todo con abundante agua fría (por eso hay que usar una cacerola grande) y llevar a hervor espumando, esto es, retirando toda la espuma de color sospechoso que vaya apareciendo en la superficie del caldo con una cuchara plana y dejando un bol de descarte cerca para revisar lo que vamos sacando.

• Una vez que el caldo levantó hervor, bajar el fuego y dejar que burbujee despacito y destapado. Entre 2 h 30' y y 3 de cocción son suficientes (cuanto más demore, más concentrado y sabroso queda). Dejar que se enfríe y colar.

En el capítulo En casa les digo cómo congelar el caldo para tenerlo siempre a mano. Por otro lado, si uso calditos comprados, prefiero los de vegetales, que son menos grasosos. Igual, nada se compara con un buen caldo casero de pollo...

Minestrone o sopita de verduras

Para empezar, vamos a dividir las verduras en dos grupos. Por un lado, las que se cocinan despacio o resisten una cocción larga: cebolla, zanahoria, puerro, apio, morrón, repollo, tallos de acelga, berenjena, papa, ajo, porotos, etc. Por otro, las que se cocinan más rápido: batata, calabaza, zapallo, zucchini, zapallito verde, champignones, verdeo, arvejas, brócoli, coliflor, tomates y la mayoría de los brotes. Tener esta división clara nos va a servir para muchas cosas, pero, para empezar, para hacer una buena sopa. Podemos hacerla con agua, pero ya sabemos que es mucho mejor con caldo.

- Cortar zanahoria, cebolla, papa, puerro y apio (o cualquier otro vegetal del primer grupo) en cubos bien chiquitos. Rehogar en una cacerola con aceite de oliva o manteca hasta transparentar. Si tenemos tiempo y paciencia, primero ponemos la cebolla, después de 2 o 3 minutos agregamos la zanahoria, y así seguimos hasta que veamos que todas las verduras están blandas (hay que calcular unos 12 minutos de cocción en total). En cuanto la mezcla esté dorada, agregar un poco de sal y pimienta (ojo, nada más que un poco).

- Cubrir con agua fría o caldo (o mitad y mitad), agregar el perejil y un pedacito de queso parmesano sin rallar (esos que quedan duros en la heladera porque alguien no lo envolvió como corresponde), que nos va a servir para salar la sopa.

- Cocinar todo a fuego bajo y con tapa durante 20 minutos. Mientras, limpiar, pelar y cortar el resto de los ingredientes.

- Destapar y agregar los demás vegetales. La papa se va a desarmar un poco y le va a dar textura a la sopa. Espumar cada tanto, y volver a tapar.

- Si se le va a poner pasta o arroz, y queda poco líquido en la cacerola, agregar un poco más de agua.

- Una vez lista, servir la sopa con más parmesano rallado fino, pero con cuidado de no excederse, porque el queso se derrite y se pone gomoso.

Sopa crema de arvejas

Es de arvejas porque me encantan, pero se puede hacer con cualquier verdura. Lo importante: espesar con la papa y no con la crema.

- Picar 1 cebolla y/o puerro chico y rehogar en una cacerolita con aceite de oliva o manteca.

- Pelar 1 papa chica, cortarla en cubos pequeños e incorporarla a la cacerola. Salpimentar.

- Añadir 1 litro de caldo y dejar reducir a fuego medio, hasta que la papa esté cocida. Agregar 2 tazas de arvejas frescas o congeladas, y dejar que la preparación vuelva a hervir.

- Una vez que levantó hervor, retirar y procesar en una licuadora o con un mixer (si queremos, podemos agregarle menta).

- Terminar con 1/2 taza de crema batida o queso crema, y hojitas de menta.

- Una opción es agregarle fetas de panceta picada, incorporándola al principio, con la cacerola limpia y a fuego bajo para que se desgrase bien. En ese momento, agregar un poco de ralladura de limón, las verduras picadas, y seguir con la receta como ya se describió.

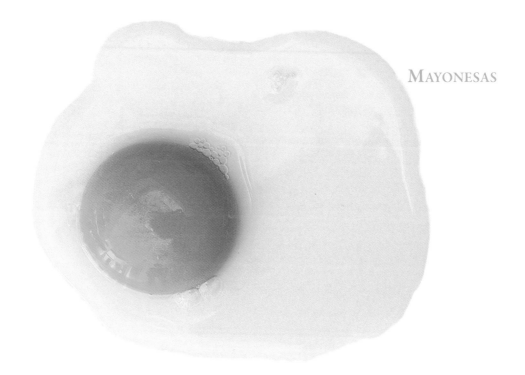

Mayonesa clásica

Que las salsas a base de huevo son difíciles de hacer es un mito. Sí es verdad que requieren de mucha práctica, pero nada más. No digo que hagan mayonesa casera para un sandwich, porque lo cierto es que la que se vende ya hecha me gusta bastante. Pero hay platos que ameritan el trabajo (y el orgullo también) de saber hacer una buena salsa casera. Cuando era chica, con mis primas hacíamos mayonesa casera con huevos frescos bajo la atenta dirección de mi mamá y mi tía. La única indicación importante que nos daban era "bata y no la mire, que se corta". Ahora, después de muchos años, entiendo por qué. No mirar no implica ni magia ni nada sobrenatural: se trata simplemente de no estar tan pendiente o tenso. La idea es trabajar de manera relajada, porque así es como la mayonesa sale bien (igual, por las dudas, no la miren demasiado, no sea cosa de que se corte…).

- Antes que nada, separar las claras de las yemas de 2 huevos a temperatura ambiente; esto es muy importante: si están fríos, podemos ponerlos en agua tibia por 10 minutos para templarlos.
- Colocar las yemas en un bol con un trapo o repasador húmedo debajo (que ayuda a que no se mueva ni se desplace) y batirlas con una pizca de sal, ya sea con batidor de mano o eléctrico.
- Poco a poco, pero muy gradualmente (esto es fundamental), agregar 1 taza de aceite de girasol y 1/2 taza de oliva (si es todo oliva sale muy fuerte) desde cierta altura para que caiga en forma de hilo muy fino. Cuando el volumen de la mezcla se duplique, se le puede seguir agregando el aceite ya sin tanto cuidado.
- Una vez incorporado todo, poner el jugo de 1/2 limón (o más) sin dejar de batir. Y listo.
- Si se corta, añadir 1 cda. de agua hirviendo o batir 1 yema aparte y agregarla.
- La mayonesa casera dura cuatro días tapada en la heladera.

Holandesa

En pocas palabras: una mayonesa caliente en la que se cambia el aceite por manteca.

● Colocar un bol a baño maría sin que el agua toque la base del recipiente. Antes de llevar al fuego, poner 3 yemas. Batir sin pausa hasta que el agua hierva, bajar el fuego a mínimo y agregar 200 g de manteca blanda en cubitos dejando que la preparación absorba y disuelva los cubos uno a uno. Por último, agregar jugo de limón, sal y pimienta. Si se corta, se arregla con 1 cda. de agua helada.

Esta mayonesa acompaña a la perfección pescados y verduras como brócoli, coliflor y espárragos. También es ideal para los más chicos, porque es tan rica que se van a comer cualquier cosa que acompañe, y además son los únicos que resisten tantas calorías (y mientras consuman verduras y pescado…).

Béarnaise

No hay modo de explicarlo. Una papa hervida, un bife, esta salsa… Y la vida nos sonríe.

● Poner a reducir 4 cdas. de vinagre bueno (de estragón, de jerez, etc.; también se puede reemplazar la mitad del vinagre por vino blanco) con 1 echalote picado, un poco de estragón y 1 cda. de perejil o perifolio picados hasta que quede nada más que una cucharada de la infusión. Colar bien y guardar el líquido (parece un paso inútil, pero el sabor final lo vale). Colocar en un bol 3 yemas y, a baño maría (igual que la mayonesa holandesa), agregar el vinagre reducido y batir mientras añadimos poco a poco 200 g de manteca blanda en cubos. Por último, sumar el jugo de 1/2 limón y el resto del estragón (en total, 2 cdas.). Mantener tibia la mayonesa hasta la hora de comer.

Alioli

La receta tradicional de este aderezo, acompañante ideal para pescados, verduras y carnes, se hace sin huevo, pero mi abuela me lo enseñó así.

● Machacar en un mortero 4 dientes de ajo en láminas finas con sal (que ayuda a que se rompa el ajo). Una vez hecha una pasta, agregar 1 yema y empezar a batir. Incorporar vinagre o jugo de limón y agregar poco a poco 1 taza de aceite (mitad oliva, mitad girasol). Si se quiere hacerla más suave, envolver 1 cabeza de ajo en papel aluminio, llevarla al horno por 40 minutos, exprimir la pulpa del interior, mezclarla con la yema y seguir con la receta igual. Se le puede agregar al final un poco de perejil picado.

Salsa blanca

Como la mayonesa o la panceta, la salsa blanca es para mí una especie de "remolcador" para tentar a quienes no comen verduras (como repollitos de Bruselas, acelga, brócoli o coliflor) a que se animen. Digo: no usemos la salsa blanca nada más que con pasta y queso…

- Calentar 1 litro de leche en una cacerolita; mantenerla tibia.
- Derretir 50 g de manteca e incorporar 50 g de harina sin dejar de revolver con una cuchara de madera.
- Cocinar a fuego bajo por unos segundos hasta que tome un leve (muy leve) color tostado.
- Retirar la cacerola del fuego e incorporar la leche poco a poco a la vez que se revuelve con un batidor de alambre para que no se formen grumos. Si la leche está caliente, no deberíamos tener problemas, siempre y cuando trabajemos con el batidor.
- Salpimentar y espolvorear con nuez moscada.
- Seguir cocinando a fuego bajo entre 5 y 7 minutos más. Revolver cada tanto para que no se pegue el fondo hasta que espese, se cocine bien la harina y la salsa tome una consistencia cremosa.

Si no vamos a usarla enseguida, poner en la superficie un poquito de manteca o de leche para que no se forme una película.

61

Vinagretas

Sencillo: aceite, vinagre y sal o limón. Pero para condimentar una simple lechuguita, las variantes son muchas.

- Si no les gusta preparar la vinagreta por separado (yo a veces no lo hago), pongan primero un poquito de aceite sobre la verdura y mezclen muy bien hasta que esté toda cubierta. Sólo entonces agregar la sal y, por último, el limón (o el vinagre) y la pimienta sin dejar de mezclar.

- Otra opción. Preparar la vinagreta aparte. Se le puede poner miel, mostaza, cualquier vinagre, un poco de salsa de soja, jengibre rallado, chile picado, aceite de sésamo (poco, apenas unas gotas), hierbas como perejil, perifolio, eneldo, estragón, ciboulette, cilantro (en general, las tiernas prefiero agregarlas a la ensalada y no a la vinagreta), ajo entero y machacado para que le dé sabor, mayonesa y agua. El agua es uno de los ingredientes más útiles a la hora de hacer aderezos, sobre todo si tenemos mayonesas y mostazas o están muy emulsionados. El agua no cambia el sabor de lo que estemos preparando, pero aliviana su peso para que no aplaste las hojas de la ensalada.

- Para emulsionar: disolver la sal en el medio ácido y sin dejar de batir agregar el aceite en forma de hilo. Condimentar.

 Antes que un aceto malo, siempre es mejor un vinagre decente.

Risotto

Hay algunos pocos platos (bueno, no tan pocos) que, además de satisfacer el hambre, tienen efectos sobre el estado de ánimo. Entre las cinco principales preparaciones que me calman el mal humor se encuentra sin duda el risotto, plato alrededor del cual existe una mística que le da fama de complicado, cuando en verdad es uno de los más fáciles de preparar. Y, aunque es de lo más versátil, también se hace muy rápido. Sólo se trata de prestarle nuestra completa atención por, más o menos, 25 minutos de revolver y echar caldo, nada más.
Y, por supuesto, de disponer de un rico caldo.

- Lo mejor para que el risotto salga bien es entender primero qué queremos que le pase al arroz, y esto es que los granos se abran y suelten el almidón sin romperse o desarmarse. Todo el secreto para que así suceda pasa por que la cocción se lleve a cabo muy despacio. La técnica para lograrlo consiste en cubrir primero los granos con una capa fina de grasa caliente y luego ir echándoles encima líquido también caliente (recordemos que el calor "abre" y el frío "cierra" los aromas y sabores).

- En la sartén más gruesa de que se disponga, calentar un poco manteca (se puede usar oliva, pero con manteca queda más rico), y rehogar 1 cebolla chica; también puede ponerse un poco de ajo. Cuando la cebolla está transparente, agregar el arroz y revolver despacio para cubrir bien los granos con la materia grasa.

- Agregar luego el primer cucharón de caldo y revolver, siempre con lentitud, dejando que los granos lo absorban, hasta que burbujee por los bordes y no sobre líquido.

- Añadir entonces otro cucharón de caldo y seguir revolviendo, tantas veces como sea necesario, hasta que el grano esté a punto (blando por fuera y en el centro, pero muy en el centro, durito) y el líquido sobrante haya sido absorbido. Apagar el fuego.

• Viene entonces el momento mágico de "montarlo", esto es, de agregarle, siempre moviendo la sartén o con la cuchara en forma envolvente, los ingredientes que lo van a hacer cremoso, brillante e irresistible. Tradicionalmente estos son manteca y queso parmesano, pero yo a veces uso crema, quesos blancos y todo tipo de quesos rallados, solos o combinados. También, como toque final, se le puede agregar un poco de perejil picado.

Opciones

El risotto es uno de los platos más versátiles. Se puede, por ejemplo, agregarle como primer líquido algún vino, vermouth o champagne. Y también azafrán, limón o purés de vegetales a la hora de montarlo.

Posibles combinaciones son: langostinos y vodka / zanahorias y queso de cabra / hongos secos y frescos / salmón y eneldo / espárragos, tomates y fondo de carne / arvejas y menta / cebada / cangrejos / verde de hierbas / panceta y calabaza / albahaca y lima / ricota y perejil / trufas blancas / pato y ciruelas / rúcula y tomates secos / osobuco y romero / vieiras / negro de tinta de calamar / jamón de Parma y cebolla / ajo y peperoncino / morrones asados y espinaca / caciocavallo y tomate / porotos borlotti y vino tinto / escarola y parmesano / cerveza y achicoria / verde de berro / radicchio y bondiola / brócoli y pecorino / alcauciles / hinojos / naranja y pato / berenjena y queso feta / zucchinis / menta y ricota / puerros y sauternes / echalotes y jamón natural / apionabo y langosta / papa y gruyere / salmón ahumado y crema de krein / choclo y batatas / garbanzos y calahorra / cardamomo y pasas de uva / porcini y prosecco / borraja / especiado / alcaparras y abadejo / peras e hígado de pollo / uvas y confit de pato / berenjenas asadas y tomates cherry / coco y curry / brie y manzanas asadas / camembert y chenin / gorgonzola y nuez / trucha y cassis / caviar y crema ácida / limón, echalotes y apio / camarones / pulpo con pimentón / almejas y chardonnay / morcilla y piñones / tuétano provenzal / chorizo y mozzarella / mascarpone y bresaola / oporto, higos y codorniz / anchoas y perifolio / cebolla confitada y avellanas / crottin y zapallo de cáscara negra / carne seca y habas / pesto / tomates frescos / crema y mejillones / morillas y ciboulette / pollo y nueces macadamia / castañas y panceta ahumada / bacalao y ajos blancos / chauchas y zest de limón / pernaud y camarones / estragón y huevos de codorniz / salchicha parrillera y verdeo / chicharrón y maíz dulce / remolacha / pepinillos y camembert/.

Masa de pasta

Recetas de masa de pasta hay muchas: como la hacía la abuela, según el libro de la tía, al estilo de ese amigo italiano... Lo importante no es cuál elijamos, sino hacerla, ya que, como todo en la vida, si lo hacemos una vez y nos gustó, ¡seguro vamos a querer más! Consejo: si se quiere disfrutar de la experiencia, lo mejor la primera vez es no levantar el teléfono para anunciar "¡Voy a hacer pasta casera!" e invitar a la familia, los amigos y los vecinos, porque de inmediato se les llenará la mesa de gente para comer lo que amasaron. Conviene ser humilde y precavido, comenzar amasando para pocos a fin de ir tomándole la mano y sólo después buscarse ayudantes para emprender una aventura culinaria de proporciones fellinescas.

- Mezclar por un lado 4 huevos enteros con 3 yemas (muchas recetas indican usar 1 huevo cada 100 g de harina, pero en general se trata de harinas europeas, más duras que las americanas). Agregar 1 cdta. de aceite de oliva y 1 pizca de sal.
- Sobre una mesada o dentro un bol lo suficientemente grande como para que resulte cómodo para trabajar, mezclar 500 g de harina con 250 g de semolina (me encanta que la pasta quede firme, y la semolina contribuye a ese efecto).
- Formar un volcán, incorporar los líquidos en el centro e ir tomando la masa, agregando unas gotitas de agua si se seca. No debe quedar blanda.
- Envolver en papel film y dejar reposar por 30 minutos en la heladera.
- Separar la masa en 5 o 6 bollos y con la ayuda de una Pastalinda (máquina para hacer pasta) comenzar a estirar, sin olvidarse de dejar cubiertos con un trapo húmedo los bollos restantes para que no se sequen.
- Conviene trabajar en serie, pasando todos los bollos de masa desde el número más ancho hasta el número más fino que nos permita la masa, sin romperse, y espolvoreando con un poco de semolina a cada pasada.

Fideos

- Una vez que logramos darle a la masa el espesor que buscamos, espolvoreamos con semolina y enrollamos, lo que puede hacerse todo para un lado o llevando los dos extremos hacia el centro.
- Después de cortar la masa a cuchillo del grosor que deseemos, desenrollamos y colgamos los fideos en un palo de amasar para que se sequen.
- Si enrollamos de los dos lados, es conveniente colocar el canto del cuchillo en el centro de los rollitos ya cortados para que, al levantarlo, se estiren solos.
- La cocción de los fideos se realiza en abundante agua hirviendo con sal gruesa (la proporción ideal es 1 litro de agua cada 100 g de pasta).

Salsa de tomate

Es la más simple de todas, pero quizás una de las más completas: sirve para pastas, pizzas y muchas preparaciones más. Y, por si fuera poco, es además base de otras salsas.

- Picar groseramente 8 tomates maduros. Rehogar en una cacerolita con aceite de oliva 2 dientes de ajo en láminas sin dejar que dore.
- Salpimentar. Agregar 1 cda. de azúcar. Cocinar a fuego bajo de 15 a 20 minutos.
- A último momento agregar 1/2 taza de hojas de albahaca. Rectificar de sal si es necesario y terminar rociando con aceite de oliva.

Pastas rellenas

Recomiendo tener en cuenta a la hora de hacer pastas rellenas:

- La masa debe ser muy finita; si no, los bordes dobles van a quedar muy gruesos.
- Los rellenos húmedos mojan la masa, con riesgo de que se rompa.
- Espolvorear siempre con semolina para separar las piezas.
- La forma no es tan importante, pero sí el tamaño, para que la cocción sea pareja.
- Las ravioleras múltiples son difíciles de usar si no se tiene práctica, con el peligro de arruinar ocho piezas en una sola maniobra fallida.
- Es necesaria la "Pastalinda", porque estirar la masa tan finita con el palo de amasar es un trabajo arduo.
- Cocinar 1 papa con piel al vapor, pelarla aún en caliente y hacerla puré. Esperar a que se enfríe y mezclarle 4 cdas. de ricota o queso de cabra, 2 cdas. de queso parmesano rallado y 1/2 taza de arvejas frescas (o congeladas) blanqueadas. Salpimentar.
- Estirar la masa dejándola lo más finita posible y formar dos rectángulos. Colocar sobre uno de éstos dos hileras de porciones del relleno dejando un espacio intermedio de 2 cm.
- Pintar con un poco de agua y cubrir con el otro rectángulo de masa. Presionar con el canto de la mano sobre los huecos.
- Con un cortante, cortar la masa dándole forma.
- Probar cocinando una pieza sola para comprobar que esté bien sellada y no se abra.
- Cocinar en abundante agua hirviendo con sal.
- Escurrir y saltear con un poco de manteca perfumada con salvia.
- Terminar con láminas de parmesano y espolvoreando con pimienta negra.

Lasagna

Es una de mis pastas preferidas. Además de ayudarnos a vaciar la heladera, permite combinar sabores de tal manera que logra que la gente ingiera incluso aquellos vegetales que no le gustan. En una rica masa y con salsa blanca o crema, salsa de tomate y mucho queso gratinado, es posible comer cualquier cosa. Por eso aprovecho y siempre la hago vegetariana y muy abundante. Es hermoso y muy reconfortante llevar a la mesa una fuente enorme, humeante y bien gratinada que a todos satisface y alcanza incluso para el día siguiente.

- Blanquear 1/2 k de láminas de masa, pasarlas por agua fría y espolvorearlas con queso parmesano rallado fino.
- Picar finamente 1 cebolla chica (puede ser de verdeo o puerro) y rehogar en aceite de oliva.
- Rallar 2 o 3 choclos e incorporar a la cebolla, agregar 1 cdta. de azúcar, sal y pimienta y cocinar 5 minutos sin dejar de revolver.
- Retirar del fuego e incorporar parte de 3/4 taza de salsa blanca.
- Lavar muy bien 1 taza de espinacas frescas (o descongeladas) y retirarles los tallos gruesos. Saltearlas en una sartén con aceite de oliva, en cantidades pequeñas, junto con 1 ajo aplastado. Condimentar. Picar groseramente y mezclar con 1 taza de ricota, 2 cdas. de nueces picadas y 3 cdas. de queso parmesano rallado.
- Con 1/2 zapallo kabuti (o de cáscara negra o calabaza) al horno, al vapor o asado, hacer un puré no muy prolijo, que tenga trozos enteros, y espolvorearlo con tomillo.
- Enmantecar una fuente para horno, colocar un poco de salsa blanca o de tomates y láminas de masa de lasagna, y encima el puré de zapallo con parte de 3/4 taza de mozzarella picada y más tomillo, una segunda capa de masa, la crema de choclo, más masa y las espinacas.
- Terminar con masa, el resto de la mozzarella y de las salsas y rociar con aceite de oliva. Espolvorear con más queso de rallar (u otro más fuerte) y hornear a 180º C hasta que se gratine bien.

Flan

- Hacer un caramelo con 1 y 1/2 taza de azúcar derritiendo azúcar a fuego medio, sin tocarla hasta que se ponga color caramelo, con cuidado porque se quema muy rápido. Verter el caramelo sobre un molde de flan de 26 cm cubriendo bien la superficie. (Ojo con quemarse, que la de caramelo es la peor quemadura; yo me protejo el brazo que sostiene la flanera con un repasador.) Dejar enfriar hasta que esté bien sólido.

- Abrir 1 chaucha de vainilla al medio y con la punta de un cuchillo retirar las semillas. Calentar 1 litro de leche con la chaucha, dejar infusionar por unos minutos y colar. O poner unas gotitas de extracto (evitar la esencia, que es artificial).

- Mezclar 5 huevos con 5 yemas y 200 g azúcar. Batir ligeramente, sólo para romper la liga de los huevos.

- Integrar la leche calentita, poco a poco, sobre los huevos, sin dejar de revolver. Tamizar (colar) y verter sobre el molde.

- Colocar en una asadera con papel absorbente o de diario en la base y cocinar tapado con aluminio a baño maría en horno a 160º C. Recomiendo poner el agua una vez que la asadera ya esté en el horno; es mucho más práctico que estar haciendo equilibrio con el agua en la fuente. Cocinar entre 50 y 55 minutos. Dejar enfriar bien antes de desmoldar. Si se torna trabajoso, pasar la base unos segundos (segundos, dije) por la hornalla para que el caramelo afloje.

Panqueques

Es pura práctica. Y una buena sartén. A mí me gustan finitos, y uso siempre el mismo cucharón, que en ese ya sé cuánta masa necesito por panqueque.

- Poner 1 taza y 1/4 de harina, 2 tazas de leche, 3 huevos y 1 pizca de sal en la licuadora. Licuar hasta que quede homogéneo. Por último agregar 1 cda. de manteca derretida tibia.
- Dejar reposar por 30 minutos en heladera (si no quieren que se rompan, es indispensable dejar reposar la mezcla).
- Otra opción es separar los huevos y batir las claras a nieve. Así salen panqueques soufflé, pero hay que hacerlos chiquitos.

Bizcochuelo

Hay que saber hacer un bizcochuelo, es fácil y mucho más rico que el de caja. Se puede saborizar con ralladura de limón o naranja, con una cucharada o dos de cacao amargo, con café, etc.

- Batir 6 huevos a temperatura ambiente (importante la temperatura) con 200 g de azúcar hasta formar una crema y triplicar su volumen. Tamizar 200 g de harina e incorporarla al batido de manera envolvente con una espátula de goma. Por último separar una cucharada de la mezcla y agregarle 40 g de manteca derretida. Unir al batido y verter en un molde de 26 cm enmantecado y enharinado, con papel manteca en la base (va a ser más fácil sacarlo del molde). Cocinar en un horno precalentado de 170º C por 50-60 minutos. O hasta que al introducir un palillo, este salga seco. Dejar enfriar. Desmoldar sobre rejilla.

70

Masa para tarta dulce

Esta es una masa sencilla y que no se rompe con facilidad. Se congela muy bien.

- En un bol limpio batir con batidora eléctrica 90 g de azúcar impalpable y 150 g de manteca hasta que quede una pomada blanca.
- Con la batidora a baja velocidad, agregar 1 huevo, y semillas o gotas de vainilla. Agregar 250 g de harina tamizada con 1 pizca de sal. En cuanto la masa tome, apagar la máquina.
- Pasarla a una mesada con un poco de harina y preferentemente fría, y amasar 1 o 2 minutos.
- Dividir en dos, formar discos y envolver en papel film. Llevar a la heladera por 30 minutos.
- Antes de estirar nuevamente, amasar unos minutos. Muy poco, porque, si se calienta, se ablanda la manteca y no se puede moldear.
- Se puede cocinar sola con aluminio y porotos secos encima para que hagan peso o directamente con el relleno elegido y todo al horno.

Crumble

Se puede hacer a mano, desgranando la manteca con la harina y el azúcar, pero hay que ponerlo en el frío a cada rato. Sí, queda mejor así porque es más grumoso.

La máquina lo deja más parejito y no es el objetivo, pero es mucho más rápido y fácil.

- Poner el vaso de la procesadora en el freezer 15 minutos antes de usarlo. Esto ayuda mucho.
- Que todo esté frío todo el tiempo es la clave para que salga bien.
- Procesar 150 g de harina con 150 g de manteca fría hasta formar un arenado. Agregar 150 g de azúcar y accionar nuevamente. Debe quedar un granulado, como la avena. Enfriar en el freezer mínimo 30 minutos.
- Esta preparación sirve para poner encima de tartas dulces o fuentes de fruta (riquísima sobre manzanas fileteadas con un poco de canela, azúcar, pasas y dos cucharadas de crema o manteca). Nos permite armar una superficie crocante y granulada. También es ideal para poner en la base de una tarta de manzanas o peras, por ejemplo, que son frutas que en la cocción despiden mucha agua y mojan la masa de la base.

También puede hacerse reemplazando una parte de la harina por almendras, nueces o avellanas molidas.

71

Merengue

Este merengue es el más fácil, pero hay que usarlo en el momento mismo en que lo terminamos.

Sirve para tortas como el lemon pie o para cocinarlo y que quede durito por fuera y tierno por dentro.

- Poner 2 claras de huevos grandes a temperatura ambiente en el bol de la batidora eléctrica, que tiene que estar limpio y seco. Agregar 1 pizquita de sal o unas gotitas de jugo de limón y 1 cda. de azúcar. Empezar a batir; primero despacio y luego ir subiendo la velocidad, hasta que forme picos. Agregar el resto del azúcar cucharada a cucharada. Algunos pasteleros la ponen toda junta; se puede hacer así, pero es más tranquilo si se hace poco a poco. Cuando esté brillante y firme, está listo. Recuerden que hay que usarlo inmediatamente o empezará a bajarse.

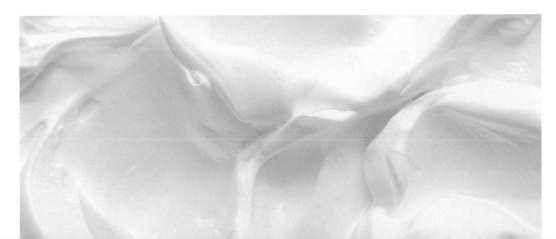

Medidas y equivalencias

Temperatura

Marca en el horno	Celsius	Fahrenheit	Descripción	¿Para qué?
1	110° a 130°	225° a 250°	muy bajo	Merengues, guisos, platos con huevo
	140°	275°	muy suave	
2	150°	300°	suave	Platos de cocción larga
3	170°	325°	moderado medio	
4	180°	350°	moderado	
5/6	190°	375°	moderado alto	Pasteles y tartas
7	200° a 220°	400° a 425°	alto	Flanes,
8	230° a 240°	450° a 475°	muy alto	asados y hojaldres
9	250°	500°	muy, muy alto	

¿Cómo hornear…?

Carne	Al principio	A los 15 minutos	Tiempo total por 500g
Vacuna	250° (marca de horno: 9)	180°	15' 18' 25'
Pollo	200° (marca de horno: 6)	200°	20' + 30'
Pato	210° (marca de horno: 7)	180°	20'
Cordero	250° (marca de horno: 9)	200°	12' 16' 20'
Cerdo	200° (marca de horno: 6)	180°	30'

Carne	Al principio	A los 30 minutos	Tiempo total por Kilo
Pavo	200° (marca de horno: 6)	180°	2 ,5 kilos: 1 h 30' 4 kilos: 2 h 9 kilos: 3 h 30'

No olvidar

- Medir una taza llenándola sin comprimir su contenido.
- Usar un cuchillo para quitar el exceso de ingrediente y dejar una cucharada rasa.
- Usar 3 cucharadas de té cuando se indique usar una cucharada.
- Usar la mitad de la cantidad indicada cuando se reemplace la sal marina por sal de mesa, que es mucho más salada.
- Los ingredientes en las recetas deben estar siempre a temperatura ambiente, salvo que se indique lo contrario.

Volumen y líquidos

5 ml = 1 cuchara de té

15 ml = 1 cuchara sopera

30 ml = 2 cucharas soperas

45 ml = 3 cucharas soperas

60 ml = 1/4 de taza

75 ml = 1/3 de taza

125 ml = 1/2 taza

150 ml = 2/3 de taza

175 ml = 3/4 de taza

250 ml = 1 taza

600 ml = 2 tazas y 1/2

900 ml = 3 tazas y 3/4

1 litro = 4 tazas

Líquidos

(medidas aproximadas)

1/2 taza = 100 cc

1 taza = 200 cc

2 tazas = 400 cc

5 tazas = 1 litro

1 taza de té = 150 ml

1 vaso de agua = 200 ml

1 cucharón = 260 ml

1 cucharada = 15 ml

A ojo

Cucharada = 1 cuchara sopera

Cucharadita = 1 cuchara de postre

Pizca = lo que se pueda tomar

entre la punta de dos dedos

Tazón = taza de desayuno (de las

que se usan para café con leche)

Taza = 1 taza para té

Tacita = 1 taza para café

Vaso = 1 vaso para agua mediano

Equivalencias

1 kilo = 2,2 libras

onza = 28,5 g = 30 ml

1 libra = 454 g

16 onzas = 1 pinta

Sólidos

Una taza...

de azúcar común = 200 g

de azúcar impalpable = 125 g

de harina = 140 g

de arroz = 200 g

de arvejas = 125 g

de pan rallado = 70 g

de queso rallado = 100 g

de chips de chocolate = 175 g

de manteca = 200 g

Una cucharada sopera...

(medidas aproximadas)

de aceite, harina,

azúcar impalpable, manteca,

pan rallado,

queso rallado o sal =15 g

de agua =16 g

de arroz o azúcar = 20 g

de café =18 g

de fécula de maíz =12 g

de leche = 17 g

de levadura = 10 g

Moldes redondos

8x1,5 pulg. = 20x4 cm

9x1,5 pulg. = 23x3,5 cm

Moldes rectangulares

11x7x1,5 pulg. = 28x18x4 cm

13x9x2 pulg. = 30x20x3 cm

Conversiones de peso

5 g = 1/2 onza

30 g = 1 onza

45 g = 1 y 1/2 onza

60 g = 2 onzas

90 g = 3 onzas

125 g = 4 onzas

150 g = 5 onzas

175 g = 6 onzas

200 g = 7 onzas

250 g = 8 onzas

275 g = 9 onzas

300 g = 10 onzas

325 g = 11 onzas

350 g = 12 onzas

375 g = 13 onzas

400 g = 14 onzas

450 g = 15 onzas

500 g = 1 libra

¿Cuánto servir?

Guarnición:

Vegetales frescos: 200 g

Ensaladas de hojas: 100 g

Carne con hueso: 250 g

Carne sin hueso: 150 g

Pescado: 250 g

Queso: 80 g

Fideos: 100 g

Arroz: 40 g

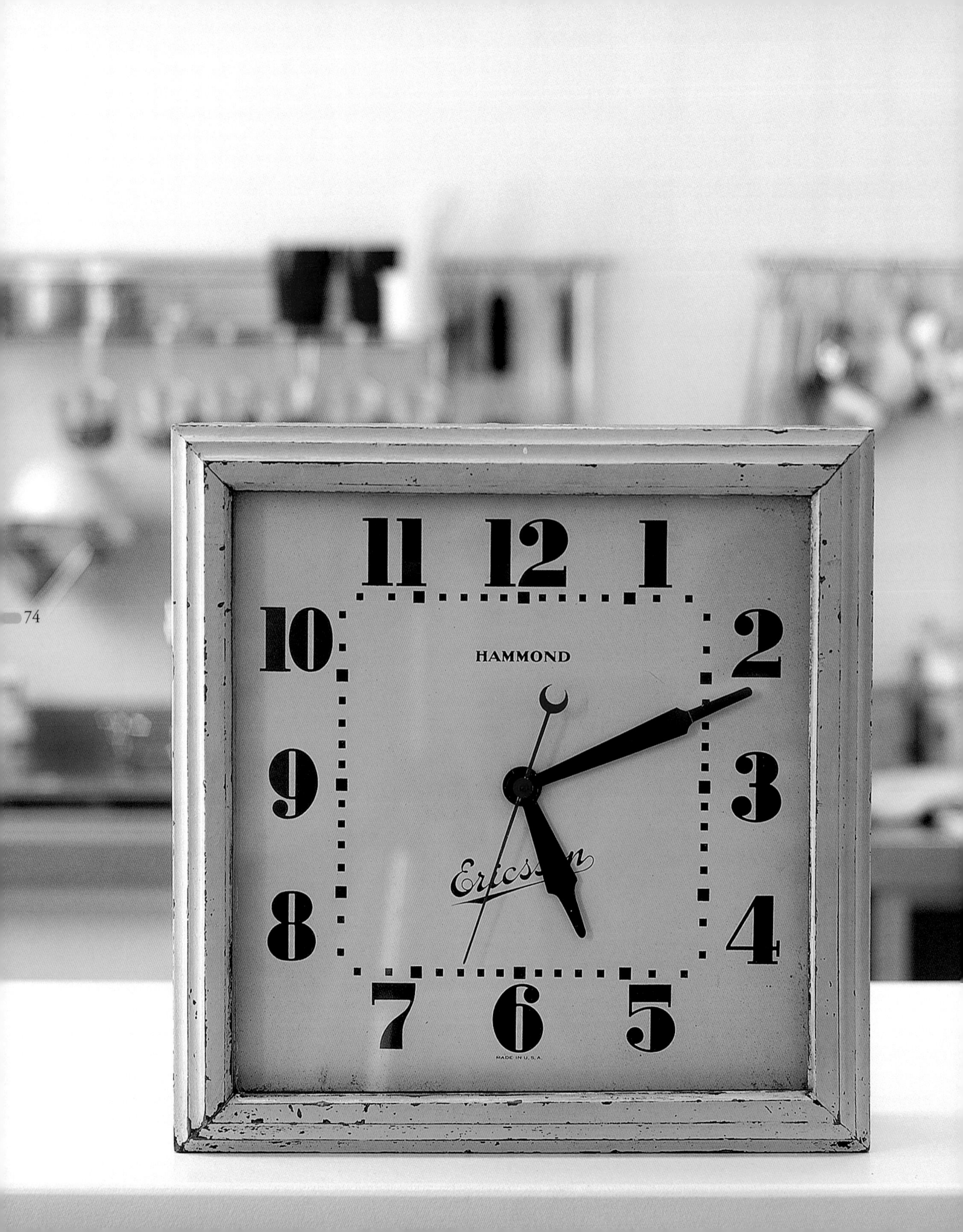
HAMMOND
Ericsson
MADE IN U.S.A.

Para hacer con tiempo

Está todo bien. Hacer platos rápidos, salteados simples, cocinar con la gente entrando y saliendo de la cocina –y que por lo general ayuda muy poco– que nos pregunta cuánto falta, tiene su encanto.

Pero los platos que siguen son para relajarse, para hacerlos tranquilos. Hay sabores que sólo se logran con el paso de horas. Sabores complejos, sabores sutiles, sabores familiares (porque antes se cocinaba con tiempo, con organización y, como ahora nos pasa a algunos, con placer). Hay platos que llevan horas y horas de marinada, otros que llevan horas en el horno, otros en la hornalla.

La idea es hacer estos platos y no tener que correr. Hacerlos cuando vamos a cocinar para relajarnos y para disfrutar de todo el proceso: cortar, lavar, limpiar, desgrasar, espumar, tocar, condimentar, observar los cambios, oler...

Objetivo: no estresarnos. De otra manera, la cocina pierde sentido y terminamos sin disfrutar ni de la comida ni del mientras tanto.

Es cierto que la mayoría de las veces, cuando llegamos a casa, tenemos muy poco tiempo para cocinar. Por eso, el momento ideal para hacer estos platos es durante el fin de semana, cuando estamos más tranquilos tanto para comprar como para cocinar. No hay que olvidar que se trata de preparaciones sobre las que, una vez que están en marcha, no se puede intervenir. Son platos para acompañar con una copa de vino desde su momento cero; recetas con las que arrancamos hoy para terminar, tal vez, mañana. Comidas que se preparan para comer quizás otro día.

Sin dudas, uno de los bienes más codiciados en nuestros días es el tiempo. Y estoy segura de que si lo usamos para cocinar algo rico para los que queremos, lo estamos aprovechando bien. Por eso, lo mejor es adelantarnos para no terminar comiendo siempre lo mismo o, quizá, comprando cosas que nos hacen la vida más fácil pero sin sabor. No trabajemos contra reloj, bastante lo hacemos todos los días. Tampoco se trata de correr como un chef de cocina. Con tiempo, además, si algo sale mal, hay espacio y margen para buscar una solución. No cocinemos estos platos si nuestro estado de ánimo no es bueno: se trata de preparaciones sensibles, de sabores complejos o sutiles. Platos que requieren lo mejor de uno. No nos forcemos, aprovechemos los momentos de inspiración. Cuando algo sale bien, de verdad es reconfortante. Y más, si nos pasamos algunas "horitas" en la cocina.

Sopa china de pollo

Este plato cálido, aromático y simple es una delicia. Y se puede tener en la heladera por algunos días. Lleva tiempo, pero no trabajo. Como son pocos ingredientes y el sabor más destacado va a ser el del pollo, lo más importante es que sea un señor pollo: de campo, con una vida feliz. Si consiguen un buen pollo con piel fina y poca grasa (señal de que caminó por la vida), este es un gran final para el animal.

- Poner 1 carcaza de pollo en una cacerola, la más grande que tengan, si es gruesa mucho mejor, de barro o hierro (sí, ya sé... no me canso de repetirlo, pero hay un mundo de diferencia) y cubrirla con abundante agua fría. Llevar al fuego y dejar hervir suave por 20 minutos; espumar cualquier impureza.
- Cortar 1 akusay (repollo japonés) en trozos y 3 cebollas de verdeo en juliana.
- Cortar 1 raíz de jengibre en láminas como monedas e incorporar 4 o 5 al caldo con un poco de sal. Cocinar a fuego bajo por 1 h 30', dando vuelta el pollo por lo menos dos veces.
- Agregar un chorro de salsa de soja, un chorro generoso de jerez, el verdeo y el akusay. Dejar cocinar otros 20 minutos a fuego fuerte. Si la cacerola no es muy grande, retirar el pollo un minuto, así podemos mandar las verduras abajo. No es una maniobra muy segura, pero es más fácil que luchar contra un repollo flotante.

A mí me gusta servir el pollo en trozos (sin huesos, que salen muy fácil, porque casi se desarma), con más verdeo cortado muy fino y 1 pepino sin semillas, en bastoncitos y condimentado sólo con sal. Todo esto sobre arroz blanco o condimentado como para sushi y, por arriba, sésamo tostado.

El caldo queda muy bien con unas gotas de aceite de chile o ají molido picante por arriba, y un chorrito más de soja a último momento. Al otro día, podemos cocinar unos fideos orientales en el caldo y lo servimos con verdeo y brotes de soja.

Falafel

La primera vez que los probé fue en las calles de Londres, en una esquina de Portobello Market. Como no tenía mucha plata, los comí varias veces. Y cada vez me gustaban más, así que empecé a pedirlos en varios lugares, a buscar recetas y a preguntar a tías, abuelas, etc. Algunos estaban buenos, otros eran muy secos o muy blandos (donde hervían los garbanzos) o con mucho comino... Hasta que encontré un dato en un libro muy simple, sin fotos ni demasiadas pretensiones: le ponían trigo a la masa. Eso hizo la diferencia. Muchos años después volví a esa esquina y me fui contenta, porque mi receta se parecía mucho.

- Cubrir 2 tazas de garbanzos secos con agua fría y dejarlos 24 horas, cambiando el agua por lo menos dos veces. Si hace calor, ponerlos en la heladera. Usar un bol grande porque se van a hinchar bastante. Enjuagarlos y dejarlos escurrir por lo menos 1 hora.
- Ponerlos en la procesadora con 1 cdta. de polvo de hornear, 1 cebolla, 2 cdas. de cilantro y 2 cdas. de perejil picados, 1 o 2 chiles (si no gustan del picante, sáquenles las semillas) y 2 dientes de ajo.
- Lavar bien 1 cda. grande de trigo burgol y escurrirlo con fuerza. Agregarlo a la masa de garbanzos junto con sal, pimienta y un poco de comino.
- Amasar con ganas un rato, hasta sentir que todos los ingredientes se han incorporado.
- Hacer bolitas del tamaño de una nuez y aplastarlas un poco. Llevarlas a la heladera por 15 minutos, tapadas.

- Calentar abundante (abundante es mucho) aceite en una cacerola o sartén profunda, a fuego medio. Recuerden siempre que, cuanto más aceite en la sartén, menos aceite en la comida.

- Freír las bolitas, cuidando de no poner muchas al mismo tiempo y de que no se peguen al fondo. Cocinar hasta que doren. Adentro van a quedar tiernas y esponjosas.

- Cortar lechuga arrepollada en juliana y tomate y pepino, en concassé (cubitos chicos).

- En un bol poner 1/2 taza de tahina, como se llama la pasta de sésamo (se consigue en cualquier panadería, almacén de Medio Oriente o supermercado) y jugo de 1 limón. No se preocupen si se hace un engrudo espeso, que es lo que menos se espera que pase al agregar líquido, es así. A veces también le agrego unos dientes de ajo asados.

- Agregar un toque de páprika o pimentón, sal, pimienta, y 1/2 o 1 taza de yogurt natural (según la intensidad de la tahina y el gusto de los comensales). Si queda muy espeso, aligerarlo con un poco de agua. Normalmente se puede comer en un plato o como a mí más me gusta: con pan pita o lavash entibiados. Rico, muy rico.

Paté de conejo con jalea de manzanas

La verdad es que no soy muy fanática del conejo. He comido algunos muy buenos, excelentes, pero la mayoría fueron de regular a más seco que lengua de loro... El paté es una buena forma para cocinarlo sin mucho margen de error (además de un modo ideal de presentar el hígado: personalmente es la única manera en que lo como). Hace no muchos años, esta preparación formaba parte de muchos menúes, tanto en casas como en restaurantes. La falta de tiempo hizo que empezáramos a comprarlos preparados; pero, como bien sabemos, no es lo mismo. También hay mucha gente que cree que no le gusta, ya que lo único que probó es el paté enlatado o de rotisería, que, a menos que sea muy buena, siempre inspira un poco de desconfianza. En el inconsciente colectivo está instalada la idea de que al paté se le pone cualquier cosa. Y, francamente, es entendible: una vez que probamos un buen paté casero, no hay vuelta atrás. Una comida puede consistir de un buen pan tibio, aceitunas, algún queso, pickles, frutas, hojas verdes... y un buen paté. Acá va esta receta, que es una mezcla entre la de mi tía Vivi y la mía.

- Para el paté, remojar 200 g de higaditos de pollo en 1/2 taza de leche por 30 minutos, para sacarles cualquier dejo amargo, y escurrir.

- Cortar en trozos de similar tamaño la carne de 1 conejo deshuesado y 100 g de panceta ahumada. Una opción es usar además cerdo (1 lomito) o pollo (una pechuga chica), en cuyo caso habrá que hacer lo mismo.

- Picar 3 echalotes o 1 cebolla mediana.

- En una sartén a fuego bien bajo, poner la panceta. Una vez que comienza a largar la grasa, agregar una cucharada de manteca (en total utilizaremos 200/250 g) y la carne. Dejar que se dore un poco y retirar. Saltear por unos minutos la cebolla sin que dore. Incorporar tomillo y otra vez la carne, junto con los hígados. Dejar cocinar un minuto (¡ojo! no cocinar demasiado los hígados: tienen que quedar rosados por dentro). Condimentar y agregar 1/2 taza de oporto o jerez; dejar reducir un minuto y desglasar la sartén. Retirar el tomillo si era ramita.

● Procesar la preparación en caliente con el resto de la manteca y 1/2 taza o un poco menos de crema de leche.

Si se desea que el paté sea bien liso, hay que tamizarlo con un colador metálico y una espátula de goma, un proceso trabajoso y en el que se pierde bastante volumen. (Cuando es para mí, lo hago sólo si tengo tiempo y ganas; si es para clientes, siempre.)

● Pasarlo a un molde de cerámica o ponerle papel film; alisar la superficie y tapar con film para que no se oxide. Llevarlo a la heladera.

● Si se quiere darle una terminación clásica, dejarlo 1 hora, derretir 30 g de manteca y rociarlo por arriba. Si no, mantenerlo tapado hasta usarlo. Se puede congelar. También, una vez listo para pasar al molde, se le pueden agregar nueces, higos secos, ajos confitados, etc. O, en vez de usar tomillo, cambiarlo por estragón, salvia, etcétera.

La jalea de manzanas es necesario hacerla con más tiempo, ya que, a pesar de ser muy simple, su elaboración comprende muchos pasos.

● Cortar groseramente, en cubos, 1 k de manzanas verdes con piel, semillas y cabitos. Poner en una cacerola de hierro, acero o barro con 800 ml de agua, el jugo de 1 limón y 2 ramas de romero. Dejar que hierva bien suave por 1 hora y se haga puré.

● Poner todo en un colador con gasa, a fin de obtener el jugo y separar la pulpa. Yo le pongo un peso encima, con un bol abajo bien amplio. Dejar toda la noche.

● Pesar el líquido que quedó en el bol y por cada 600 ml de líquido agregar 340 g de azúcar. Poner en una cacerola a fuego muy bajo hasta que se disuelva el azúcar. Después, que hierva a borbotones por 10 minutos a fuego máximo (si la llama de la cocina de la que se dispone no es muy fuerte, dejarlo 15 minutos). Retirar cualquier espuma o impureza y pasar a frascos esterilizados.

● Taparlos una vez que enfríen y dejar la jalea en un lugar oscuro y fresco por dos días antes de usarla. Dura meses.

Pollo casi pibil

A la cochinita pibil, que es un plato clásico mexicano, sólo la conocía de oídas, pero no la había comido nunca. Como la verdad es que no como mucho cerdo (muy poco, aunque me gusta), quise probar esos sabores con una carne más liviana y agregarle alguno que otro ingrediente. Se destaca un ingrediente, el achiote, que hace mucho tiempo pensaba que era un producto exclusivamente mexicano, pero viajando descubrí que está por toda América con otros nombres: bijol, color, onoto, bixá, bija. Lleva ocho horas de marinada y otras dos o más de cocción, así que a tener en cuenta que probablemente se lo empiece a hacer hoy para comerlo mañana.

- Trozar 1 pollo en ocho. Sacarle la piel y los cartílagos de las coyunturas de las patas, de manera que quede el hueso limpio (el fin es estético).
- Tostar 2 cdtas. de coriandro en una sartén limpia y machacarlo en un mortero. Mezclarlo en un bol con 4 cdas. de achiote molido, 3 cebollas cortadas en pluma, 2 dientes de ajo en láminas finas, zest de 1 naranja, 1 chile picado, 2 cdas. de azúcar, 1/2 taza de jugo de lima y 1 taza de jugo de naranjas. (Si el pollo es congelado, sumar aquí también 1/2 copa de vino blanco.)
- Incorporar el pollo y mezclar bien. Colocar en una bolsa resistente y dejar marinar durante 8 horas en la heladera, girándolo de vez en cuando. Se pueden dejar las mitades de las naranjas que previamente exprimimos, pero sólo a condición de retirarlas en el momento de la cocción, para que no la vuelvan muy amarga.
- Pasar el pollo con la marinada a una hoja de plátano o papel aluminio en asadera de horno, salpimentar muy

bien, agregar 1 cda. de manteca (o manteca de cerdo) y cerrar el paquete con cuidado, para que no pierda vapor en la cocción.

● Hornear a 170º C por 90 minutos, 2 horas, hasta que la carne se desprenda fácilmente del hueso. Retirar y dejar que baje la temperatura para deshuesar y retirar cartílagos.

● Desmenuzar un poco los pedazos más grandes. Volver a entibiar y servir con arroz basmati (véase pág. 196) y una ensalada de cebolla roja cortada pluma (juliana muy finita) y cilantro.

Brandade

A menos que tengamos abuelos portugueses o vascos, o seamos grandes aficionados a la comida, es muy probable que nunca hayamos probado el bacalao. Y que ni nos tiente. Error. Porque este pescado de olor casi repulsivo y vista muy poco atractiva resulta una verdadera sorpresa como protagonista de este plato (el cual si está bien hecho es delicado, suave y de una textura cremosa), y que también hacen los franceses (con mucha más crema). En el caso de una receta clásica como esta, lo más importante son los consejos y los secretos (cómo desalarlo mejor, cómo cocinarlo o cómo agregarle la crema), porque los ingredientes y las proporciones están al alcance de todos. Por eso para hacer esta receta hablé con algunas abuelas, algunos cocineros y una que otra señora en los mercados.

● El primer paso importante es desalar el bacalao (unos 500 g, preferentemente de lomo o filetes bien carnosos). Para eso, ponerlo en un recipiente bien grande, con la piel hacia arriba y cubrirlo con agua fría. Lo llevamos a la

heladera (a la parte más fría) y lo dejamos ahí, cambiando el agua cada 6 horas. Esto es muy importante: como dije, los secretos lo son todo.

• En una cacerola chica, poner 1 cabeza de ajo y 1 taza de aceite de oliva a fuego mínimo (si el mínimo es muy fuerte o se apaga, poner un difusor de calor o un tostador de pan debajo). Los ajos no tienen que freírse, sino que los vamos a confitar (hervir en aceite a muy baja temperatura) como mínimo 1 hora, hasta que estén bien tiernos.

• Pelar 1 k de papas (peladas van a quedar unos 700 g) y hervirlas a partir de agua fría con un poco de sal. Mientras estén calientes, hacerlas puré (nunca procesarlas) y pasarlas por un tamiz y un pasaverduras, para que no queden grumos.

• Una vez que el pescado esté listo, escurrirlo y pasarlo a una cacerola, junto con un bouquet garni (tomillo, romero, orégano, laurel y puerro, bien atadas). Cubrir con unos 2 litros de leche (si el pescado no es de muy buena calidad, remojarlo en leche por 2 horas, descartarla y sólo entonces agregar las hierbas y leche nueva y cocinarlo). Hervir a fuego bajo por 8 o 10 minutos. Tiene que estar bien cubierto.

Retirar el líquido y pasar a un plato playo o a una fuente con unas cucharadas de la leche; desmenuzar (con las manos, no con tenedores, para asegurarse de descartar todo lo que no sea carne blanca).

• Poner el puré en una cacerola y agregar el pescado, parte de 3/4 taza de crema a temperatura ambiente y 2 cdas. del aceite de oliva de los ajos. Condimentar, revolviendo de manera envolvente con una cuchara de madera.

• Agregar 2 o 3 ajos confitados y revolver hasta que no haya rastro de ellos. Incorporar más crema poco a poco. ¿La cantidad justa? Hasta que al probarlo parezca que ya no le hace falta más.

• Servir con un huevo semiduro o pocheado 4 minutos desde agua hirviendo (uso los marrones orgánicos cuando quiero prepararlos muy jugosos) sobre una cucharada generosa de brandade, unas hojas verdes a modo de ensalada, tostadas y más ajos confitados.

Bastilla de pollo

Muchos platos de la culinaria marroquí presentan variantes, ya desde el nombre. Esto se explica porque se trata de una cultura de transmisión principalmente oral, por lo que no existe una sola manera de escribir esta palabra en nuestro alfabeto sino tantas como formas de pronunciarla: pastilla, bastilla, b'stela, b'astilla, pastela, todas están bien. Tampoco existe una sola forma de hacer un plato, pero sí una tradición de los sabores que debería tener. Cocinan las mujeres, siempre las mujeres. Incluso en los restaurantes que tienen chef, los hoteles o los sitios más modernos, adentro de la cocina, hay mujeres. La más común allá es la de paloma. La probé, pero no pude dejar de pensar en cuánto me desagrada ese pájaro, así que me quedo con las otras variedades (de pollo, frutos de mar o dulces). La masa tradicional no es la masa philo, sino la warqa ("ouarca"). La hice, pero jamás me sería posible trasmitirla por escrito: hay que hacerla con alguien que sepa y practicar quemándose los dedos (y sintiendo una profunda frustración por un largo, muy largo rato). Con masa philo queda muy bien y no pierde su espíritu, que en estos platos es lo más importante.

● En una sartén con un poco de aceite de oliva poner 2 cebollas medianas picadas, 1 cdta. de café de cúrcuma, 1 pizca de azafrán, 1/2 cda. de jengibre en polvo y 1/2 de canela. Si se quiere, un poco de clavo de olor molido y otro poco de comino. Estas medidas nunca son iguales; después de haberla hecho una vez podemos guiarnos más por instinto. En el resultado final, ninguna de las especias (además de la canela en polvo de la decoración) debería destacar demasiado. Retirar del fuego cuando la cebolla esté apenas blanda. Reservar.

● Lavar 1 pollo sin piel y frotarlo con sal y un poco de vinagre. En una fuente de horno no muy grande, poner el pollo trozado y la cebolla por arriba; agregar un chorro generoso de oliva y 1/2 vaso de agua.

Cocinar en horno el pollo cubierto con la mezcla por 1 h 30'. Una vez cocido el pollo, dejar que entibie y desmenuzarlo.

Es importante no olvidarse de levantar el fondo de cocción de la asadera con un poco de agua. Volver a mezclar el fondo con el pollo desmenuzado e incorporar 5 huevos, 1 taza de perejil y cilantro picados y 1/2 taza de almendras peladas, tostadas y molidas.

● Cuando el pollo lleve por lo menos 1 hora en el horno, derretir 200 g de manteca a fuego bajo sin tocarla; una vez líquida, sacarle la espuma de arriba y volcarla en un bol, dejando en la ollita el suero blanco del fondo (esto es "clarificar").

● En una mesada estirar una hoja de la masa philo (como es frágil y se seca rápido, siempre compro de más; por las dudas llevo 1 k y lo que me sobra lo congelo). Cubrir el resto con un trapo apenas húmedo. Para que no quede muy mantecosa, mojar el pincel en la manteca y dar golpecitos sobre la superficie de la masa de manera pareja, para que se distribuya bien. Sólo entonces pincelar. Si es necesario, volver a mojar en la manteca para repetir. Disponer otra capa de masa y repetir hasta tener seis. La última, que va a estar en contacto con el relleno, no lleva manteca.

● Poner las masas en un molde enmantecado (con cuidado para que no se rompan), dejando mucho borde sobrante de modo de cubrir la superficie.

● Colocar en la base otra 1/2 taza de almendras peladas, tostadas y molidas y encima el relleno. Cerrar la masa plegándola por arriba. Si queda muy gruesa, cortar lo que sobra. Como la masa philo es frágil, puede partirse, quedando desprolijo. ¡A no desesperar! Cubrir la superficie con una capa de dos hojas de masa philo (que superen el diámetro del molde), doblando los bordes hacia dentro. Con los recortes que quedaron, aunque sean muy chicos, hacer un bollito (parecerán florcitas) y cubrir los bordes del molde con ellos. Pincelar con manteca.

● Llevar a horno medio de 45 minutos a 1 hora, hasta que esté bien dorado.

Sacarlo y dejar reposar por lo menos 10 minutos. Para terminar, espolvorear bien la superficie con azúcar impalpable (poco menos de 1 taza) y un poco de canela. La receta original lleva mucho de ambas cosas, pero para paladares no acostumbrados es mejor empezar con poco.

Cordero braseado con papas aplastadas

Las cocciones largas requieren de cocineros pacientes. Son el principal componente, pues todo se trata de saber probar, agregar ingredientes, tapar, destapar y subir o bajar el fuego. Brasear, guisar, estofar, son los procesos por los cuales, mediante el fuego y el tiempo, los sabores se unen y se transforman en otros. Y, como todos sabemos, siempre, siempre son más ricos al otro día, recalentados, pues así los sabores se asientan e intensifican.
Esta es una receta muy fácil y conveniente para invitar gente a cenar, ya que el trabajo más importante se hace el día anterior y el de la comida sólo queda hornear y vigilar, permitiéndonos dedicarnos a los preparativos finales sin correr. Las papas son un capítulo aparte. Esta receta me la dio mi papá, a quien le encanta inventar en la cocina, a veces con resultados extraordinarios. Con unos agregados aquí y allá, quedaron como las que cuento aquí.

● Poner a marinar en una bolsa de plástico 1 pata de cordero mediana (deshuesada o no, el hueso le va aportar mucho sabor) con 2 cabezas de ajo cortadas de manera horizontal (quedan como una flor) y 4 cebollas en cuartos, 4 hojas de laurel, pimienta negra en grano, el jugo y las mitades enteras de 1 limón, 4 cdas. de vinagre de jerez, 5 ramitas de tomillo y 2 de romero y 1 botella de vino tinto. No lleva sal. Atar bien y guardar en la heladera por 24/48 horas. Es importante darla vuelta una o dos veces.
● Para la cocción, elegir una buena fuente, pesada y no mucho más grande que

la pieza de carne. Hay dos opciones: una es dorar la pata en una sartén antes de llevarla al horno (la carne reduce un poco en tamaño, pero a cambio se obtiene un sabor un poco más fuerte o marcado); la otra es ponerla directamente con el líquido de la marinada. Ambas quedan muy bien. El cordero de la foto está puesto directamente en la fuente con la marinada, sal y un poco de caldo, bien tapado y a un horno de 170-160º C, por 3 h 30'. Según el animal, lo vamos a dejar más tiempo, hasta que casi se desarme al cortarlo.

- Para las papas aplastadas (1 y 1/2 por persona, si son medianas, o una si son grandes), hervirlas en abundante agua salada a partir de agua fría. Una vez que estén bien cocidas, retirarlas del agua y, aún tibias o calientes, aplastarlas con la base de un plato o con la mano envuelta en un repasador, con cuidado de no quemarse.

- Poner en una cacerolita 3 cdas. de manteca, 1 chorro de aceite de oliva, 1 diente de ajo picado, 1 pizca de pimentón, tomillo picado, sal y pimienta. Calentar hasta que la manteca se derrita.

- Colocar las papas en una placa donde no se peguen o en una asadera con papel manteca o silicona, pintarlas con la manteca y llevarlas a horno muy bajo. Cada 30 minutos sacarlas y volver a pintarlas. A las 2 horas van a estar doradas. Si las papas eran muy secas, van a quedar crocantes, pero si tenían mucha agua habrá que dejarlas más tiempo, hasta que, al romper una por fuera, esté muy crocante y por dentro sea un puré muy suave. Llevan mucho tiempo, pero es seguro que valen cada minuto de dedicación.

Budín tibio de chocolate

Cada vez que alguien me pregunta si alguna receta está "de moda", lo que primero me viene a la mente son los postres. Los postres tienen modas y las que más duran son las de chocolate. Hace muchos años era la mousse de chocolate, después fue la marquise, la torta húmeda y, hace unos cuantos ya, el volcán o molleaux (el budín de chocolate con centro líquido). Habiendo trabajado mucho tiempo en restaurantes, tuve que hacerlo varias veces y con recetas diferentes. Lo que nos conduce a que hay dos maneras de hacerlo: una fácil y rápida; otra un poco más elaborada y que lleva más tiempo. Una que corre muchos riesgos de romperse o desarmarse a la hora del desmoldado y otra que no. Una en la que el corazón líquido no es otra cosa que masa cruda y otra en la cual ese corazón es puro chocolate. En la balanza (por lo menos en la mía) gana la segunda. La primera vez que uno lo hace parece complicado, pero el secreto está en hacerlo tantas veces como haga falta hasta que nos resulte tan familiar como para prepararlo de memoria. Pocas cosas nos dan tanto placer como la comida, y ni hablar del chocolate. Y esta es la mejor receta de volcán que tengo.

- Batir 5 claras de huevo con 200 g de azúcar impalpable tamizada y poco a poco ir subiendo la velocidad de la batidora, hasta que se haga un merengue.
- Poner 100 ml de agua a calentar y cuando esté hirviendo incorporarle 150 g de chocolate; apagar el fuego y mezclar bien. Poner la mezcla sobre papel manteca y llevar al freezer.
- Colocar 300 g de chocolate a baño maría y agregar 125 g de manteca (blanda). Mezclar bien y retirar del fuego, removiendo despacio hasta que entibie. Agregar una a una 6 yemas de huevo, mezclando bien.
- Mezclar aparte 100 g de harina tamizada con 100 g de almendras o avellanas molidas (cuando tengo, uso harina de arroz: sale más liviano y crocante por fuera).

- Incorporar al chocolate con la manteca, primero, la mezcla de harina y almendras y, luego, el merengue, siempre en varias veces y despacio, con movimientos envolventes.
- Elegir moldes individuales y forrarlos con papel manteca o pincelarlos bien con manteca. Poner 1 o 2 cdas. de la mezcla de base y trozos del chocolate freezado y llenarlos con la mezcla hasta 3/4 del alto del molde. Poner todo en una placa y llevarla al horno a 180º C por 20 minutos. Listo.

Torta de merengue, maracuyá y mandarina

La masa es muy liviana. Y el contraste del merengue con el ácido de la fruta la verdad queda muy bien (por eso existe el lemon pie). Esta es una versión mucho más simple. Para esta torta no se necesita tanto tiempo, pero sí ser cuidadosos con los pasos; nada nuevo en la pastelería. Tenemos la masa, el merengue y el curd o crema de maracuyá. De esas tres preparaciones nos tenemos que ocupar. La crema se puede hacer con antelación y tenerla guardada en frascos, en la heladera. Esta receta es, como muchas, una mezcla de otras dos: una de Nigella Lawson (escritora de libros de cocina inglesa) y la otra, de un lemon pie clásico que hacía mi mamá. Vamos a hacer dos bases de torta, con merengue y todo, y las vamos a encimar, con el relleno en el medio, para obtener una torta muy aireada, por lo que lo mejor es tener dos moldes iguales. Así, sí es una receta fácil. Si no, habrá que disponer del tiempo para hacer primero uno, volver a batir merengue y hacer el otro.

- Enmantecar, entonces, dos moldes de torta desmontables de 26 cm aproximadamente. (La medida es importante, porque si son muy grandes va a faltar masa.) Colocar papel manteca en la base para que la masa, muy frágil cuando está cocida, no se rompa al desmoldarla. Precalentar el horno a 180º C.
- Procesar 4 yemas con 1 taza de azúcar impalpable, 100 g de manteca pomada (ablandada a temperatura ambiente), 3/4 taza de harina 0000, 2 cdas. de fécula de maíz, 1 cdta. de polvo leudante, 1/2 cdta. de bicarbonato y ralladura de piel de 1 mandarina. Agregar 4 cdas. de jugo de mandarinas y 2 cdas. de leche y procesar hasta que quede homogéneo. Es bastante pastoso. Dividir la preparación en dos y, con la ayuda de una cuchara o espátula, extenderla en la base de los moldes. Llevar a la heladera hasta que esté listo el merengue. Para hacer este, batir las claras hasta que queden espumosas; agregar 1/2 cdta. de crémor tártaro (me encanta ese nombre; cuando era chica me parecía que podía ser un producto misterioso) y seguir batiendo hasta que forme picos.
- Incorporar poco a poco azúcar tamizada y continuar batiendo hasta que quede brillante. Bien brillante. Dividir en dos y extender sobre la masa anterior. Una de estas va a ir arriba, a la vista, y la otra abajo (así que, si una queda mejor que la otra, colocarla arriba).
- Espolvorear con azúcar impalpable y hornear a 180º C por 20-25 minutos. Al sacarlas del horno, dejarlas enfriar completamente antes de desmoldarlas.
- Para el curd, retirar la pulpa del maracuyá hasta completar 3/4 taza (si son grandes se necesitarán 4 o 5), agregarle 1 cdita. de azúcar, revolver y dejar unos minutos (el azúcar hace que se desprendan más fácilmente las semillas). Reservar aparte 2 o 3 cucharadas con semillas. Colar la pulpa de la fruta con ayuda de una espátula

y descartar las semillas (también se puede procesar y colar, que cuesta un poco menos). En una cacerolita mezclar bien la pulpa junto con 150 g de azúcar, 4 yemas, 2 huevos y 150 g de manteca fría en cubos. Llevar todo a fuego directo bajo (o baño maría, si no están muy seguros) sin dejar de revolver, hasta que tome temperatura. Ante el primer hervor, bajar más la temperatura o retirarlo unos momentos del calor y seguir cocinando por 2 o 3 minutos más (siempre a muy baja temperatura). Yo saco la cacerola del fuego a cada ratito para que no suba mucho el calor.

- Tamizar la crema (para evitar grumos) y pasarla a un baño maría inverso (agua con hielo) hasta que se enfríe. Agregar el maracuyá con semillas cuidando de no echar el líquido que pueda haber desprendido, para no licuar la crema.

- Llevar el curd a la heladera; cuanto más frío, mejor. Si se lo va a enfrascar, hacerlo en frascos esterilizados y en caliente.

- Armar la torta con una base, un poco de crema batida, un poco de curd y la otra capa de torta. Y guardar parte del curd para chorrearle encima y que se vean las semillas.

Último minuto

A cualquiera le pasa, a mí también. Sin tiempo y a veces con muy poca energía, muchas veces no queremos cocinar. En mi caso, después de todo, cocinar es mi trabajo, y no siempre quiero llevarme el trabajo a casa. Así que en ese terreno estamos casi iguales. Sin embargo, aunque no quiera cocinar, siempre tengo ganas de comer. Y no me gusta comer cualquier cosa, sólo porque es simple o implica poco esfuerzo. Para comer bien no se necesita mucho: si se trata de un sandwich, basta con calentar el pan para hacer un mundo de diferencia.

Falsa pizza de pan árabe

- Usar pan árabe como base de esta pizza (si es muy grueso, separarlo en dos).
- Poner arriba del lado de la miga unos tomates asados o secos picados groseramente y portobellos fileteados muy finitos. Salpimentar.
- Cortar fetas de queso brie y colocarlas encima. Rociar con oliva.
- Llevar a un horno caliente hasta que se derrita el queso y el pan se dore un poco (sólo un poco, si no, queda tan crocante que se rompe).
- Al sacar del horno, rociar con más aceite de oliva y pimienta negra recién molida.

Escalopes de cerdo con salvia y batatas

- El escalope (por harina o no) es la manera más rápida y fácil de hacer cualquier carne.
- Limpiar el carré retirándole el exceso de grasa. Cortar en láminas muy finas. Si es necesario, colocar entre dos separadores plásticos y con la ayuda de un martillo para carnes o el puño aplastarlos un poco (con cuidado de no romperlos).
- En una sartén con manteca y aceite de oliva freír unas hojitas de salvia. Sellar los escalopes en la misma sartén. Salpimentar.
- Agregar unas batatas previamente cocidas y unas gotitas de jugo de limón. Dejar que las batatas tomen calor y servir.
- Si en la sartén quedó algo pegadito, desglasar con un poquito de líquido (puede ser agua).

Huevos al estragón

Este plato me lo hacía a veces mi papá, así tal cual. Algunas veces le agrego algo de lo que tengo a mano, como espinacas u hongos fileteados, pero la verdad no lo necesita.

- Usar 1 huevo por porción. En un recipiente resistente al horno enmantecado (a mí me gusta que sea individual), poner el huevo, un poco de crema (la cantidad depende de cada uno) sal, pimienta, queso rallado y estragón fresco o seco.
- Mezclar removiendo alrededor de la yema. Llevarlo a un horno bien caliente hasta que dore por arriba.
- La tradición indica tomarlo con una tostada y una taza de caldo con un chorrito de jerez.

Pasta con ensalada de berros

Si no fue el primer plato que inventé sola en la cocina cuando tenía 11 o 12 años, está por ahí.

Aunque en aquel entonces era con parmesano.

- Cocinar los spaghetti al punto que se desee (a mi mamá, por ejemplo, le gusta la pasta bien cocida... sí ya sé, pero gustos son gustos).
- Escurrir. En una sartén con aceite de oliva y un diente de ajo aplastado, agregar migas de pan fresco rotas y dejar que tomen color y sabor. Incorporar la pasta y saltear unos minutos.
- Aparte, preparar una ensalada de berro o rúcula con vinagreta y todo.
- Servir la pasta en un plato, cortar un poco de queso fuerte (crottin de cabra, camembert, algún queso azul también) y desgranarlo encima. Arriba de todo, la ensalada y listo.

Sellado de pizza

Este es el plato más fiaca o perezoso de todos. La primera vez que lo hice fue un fin de semana, después de haber salido y haberme levantado bien pasado el mediodía, al no encontrar nada en la heladera más que un par de porciones de pizza fría: muzzarella y fugazzeta (cebolla y queso). Vale aclarar que no era cualquier pizza, sino de Angelín. Ante la circunstancia y mi estado, que clamaba por alimento y algo contundente, pero que no me llevara más de 2 minutos en la cocina a pleno sol, encimé una porción sobre la otra y las puse a presión en la selladora de sándwiches. Volví al rato, cuando el olor a queso me sacó otra vez de la cama. Y, para mi sorpresa, encontré una superficie muy crocante con una exuberante cantidad de queso dorado que se había escapado por los bordes. En inglés se llaman "guilty pleasures" (placeres con culpa), pero la verdad, de placer, mucho, y de culpa… muy poco.

Pasta corta con vegetales

La verdad no soy muy fanática de las salsas para la pasta, a menos que sea una señora salsa.

Ante un sancocho de tomates y cebolla, prefiero un poco de verduras saltadas con oliva, ajo, etc.

● Cocinar la pasta. Cortar un par de zucchini en rodajas y saltearlos con un poco de aceite de oliva, 1 ajo machacado, sal y pimienta hasta que estén dorados. Agregar tomates cherries, tomillo deshojado y la pasta. Sartenear y, una vez fuera del fuego, rociar con aceite de oliva. Espolvorear con pimienta negra de molinillo y queso parmesano rallado. Se puede hacer con cualquier verdura: espinacas, verdeo, berenjenas, etc. Lo importante: que el salteado inicial tenga sabor.

Arroz con salteado oriental

Para hacer este plato el arroz debe, sí o sí, estar frío. Si no, no es un plato rápido y queda lleno de aceite, volviéndose pesado. Hay que tener todo picado bien chiquito antes de empezar.

• Calentar bien un wok. Agregar aceite común (un chorrito generoso por los bordes) y unas gotas de aceite de sésamo. Rápido, agregar un poco de jengibre y ajo picados. Dorar apenas moviendo sin parar. Tirar un huevo y remover enérgicamente para que se haga hilos. Agregar zanahoria y cebolla picada. Saltear un poco e incorporar el morrón. Luego de unos segundos: los zucchinis, las arvejas (picados bien chiquitos) y una cucharada chica de azúcar.

• Agregar el arroz frío y revolver, dejando que tome temperatura. Retirar del fuego. Agregar la parte verde del verdeo picado y/o cilantro fresco, semillas de sésamo tostadas y acompañar con salsa de soja. Se puede hacer con pollo, cerdo o camarones, que se agregan al principio.

Pescado con alcaparras

Cuando viajo mucho y voy a algún restaurante que tiene pescados, pido siempre lo mismo: un pescado a la plancha y una papa al vapor o hervida. Si el pescado es fresco y el cocinero es bueno, puede ser una de las mejores comidas. Cuando paso por la pescadería camino a casa, pido que me dejen el filete listo para cocinar.

• Salpimentar los filetes de pescado. Calentar una sartén bien gruesa (fundamental). Agregar un chorrito de oliva y poner el pescado del lado de la piel, la tenga o no, hasta que dore. Dar vuelta y agregar las alcaparras y un chorrito de jugo de limón.

• Si no tengo ganas de pelarlas, hiervo las papas con cáscara, bien lavadas, y las agrego cortadas a la sartén, para que tomen sabor. Antes de retirar del fuego, pongo una cucharita de manteca u oliva y más pimienta.

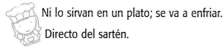
Ni lo sirvan en un plato; se va a enfriar.
Directo del sartén.

Taza de sopa y un tostado

La sopa de tomates lleva tiempo, pero esta es una versión simple, rápida y muy rica. Cremosa y liviana.

● Cortar 1/2 cebolla, 1 ajo, y un poquito de apio (si hay) bien chiquito. Cocinar a fuego bajo para que ablanden, en oliva. Agregar 3 tomates procesados, 1 taza de caldo y 1/2 taza de puré de tomates. Cuando hierva, incorporar un puñadito de arroz, dejar cocinar y corregir acidez con 1 cda. de azúcar. Salpimentar y terminar con parmesano rallado, albahaca fresca y un tostado de queso (emmethal o fontina) para acompañar.

Triffle

El postre más fácil de todos. Poner en una copa todo lo rico y dulce que esté dando vueltas por la cocina: galletitas, restos de brownie o de un budín, frutas frescas, secas o almibaradas, cremas, queso blanco, chips de chocolate, helado, merengue, bombones, golosinas. Porciones individuales o en un bol grande. La clave: intercalar de manera que lo crocante siga crocante y lo más seco se humedezca. Éste tiene: capas de bizcochuelo, cerezas descarozadas, crema batida, merengue roto, más cerezas, helado de crema, praliné, etc. Así hasta terminar la copa. Se puede humedecer el bizcochuelo con licor, almíbar o jugo.

Municiones con arvejas
(la pasta más chiquita de todas)

Éste es mi favorito: lo como en casa, casi siempre cuando estoy sola, en bol y con cuchara. Me reconforta.

● En una cacerola no muy grande hervir agua con un poco de sal o un trozo de caldito. Agregar las municiones (una tacita de café) y cuando les falta 3 minutos según el paquete, agregar arvejas (a ojo). Uso siempre las congeladas, que son muy dulces y están siempre a mano en mi freezer. Cuando vuelve a hervir, testear si está la pasta, colar todo, volver a ponerlo en la olla caliente con un poco del líquido de cocción y agregar una cucharada de queso blanco, oliva o manteca, queso rallado muy fino, sal (si hace falta) y pimienta negra. Si son muy golosos, un chorrito de crema. Revolver bien, hasta que quede bien cremoso.

Opcionales para agregar: ciboulette, brócoli, espinaca, perejil, chauchas, habas, otros quesos. No me importa lo que nadie diga, amo este plato. Es el mejor ejemplo de lo que se llama "comfort food" en mi mundo.

"El alma de un guiso está en una unidad que lo impregna todo,
la transformación de entidades individuales en una sola personalidad"

O cacerola. O marmita. O cazuela. O vasija. O el nombre que sea, de acuerdo con donde vivamos. Guisos, sopas, caldos, sancochos, pucheros, laksas, curries, cocidos… Cada cultura tiene como emblema uno de estos platos, que reconfortan tanto el cuerpo como el alma. Son platos familiares, porque están abiertos a todos y se reparten tantas porciones como comensales.

Las recetas que están en este capítulo son de diferentes lugares, pero tienen algo en común: son recetas que preparan las madres y las abuelas. No son complicadas, son auténticas. Son recetas que vi hacer o que me enseñaron señoras que cocinan en sus casas. Necesitan varias bocas, varias manos, varias cucharas y platos. Son, sencillamente, recetas para comer de a muchos.

Ajiaco

Entre las maravillas que descubrí en Colombia, un país habitado por gente amable, culta, divertida y generosa, con una extraordinaria variedad de frutas y una cocina rica en sabores, la mayor sorpresa me la dio el ajiaco. Ni las descripciones que me habían hecho ni las fotos que había visto de este plato tan popular y de mesa familiar me prepararon para su sofisticación y su elegancia. Cada cucharada de esta sopa cálida y espesa ofrece una complejidad de sabores y texturas (acidez, cremosidad, distintas temperaturas de los ingredientes) que me provoca compararla con una vichyssoise, pero mucho más interesante... Una verdadera gloria.

- Retirarles el exceso de grasa a 2 pechugas de pollo con hueso y sin piel y cocinarlas junto con 1 cebolla de verdeo, 2 hojas de laurel, sal y pimienta en 12 tazas de agua durante 30 minutos. Revolver de vez en cuando con cuchara de madera. Dejar entibiar el pollo dentro del caldo y luego retirarlo, deshilacharlo y cubrir con un poco del caldo. Reservar.
- Colar el caldo, agregar 1 rama de albahaca y 2 ramitas de perejil y volver a hervir.
- Agregar 2 k de papas ya peladas y cortadas en trozos medianos. (Si conseguimos variedad, mejor, para obtener distintas texturas.) Cocinar por 15 minutos y remover para que las papas empiecen a desarmarse, aportando consistencia a la sopa.
- Añadir 4 choclos en trozos o desgranados (si no tenemos choclo entero fresco podemos usar medio paquete del congelado o media lata de choclo amarillo desgranado). Cocinar 20 minutos más. Las papas deben quedar en pedazos pequeños.
- Agregar 5 ramas de cilantro y cocinar a fuego bajo por 10 minutos (o hasta que la papa, al desarmarse, espese la preparación).
- Volver a poner el pollo en el caldo caliente y calentar por 5 minutos más.
- Cortar en cubitos 2 paltas medianas, batir un poco 1/2 taza de crema y escurrir 1/2 taza de alcaparras. La sopa se sirve en bols y cada comensal le agrega 1 cucharada de alcaparras, crema y palta.

La receta original lleva un ingrediente local que no supe conseguir fuera de Colombia, una hierba llamada "guasca" cuyos sabor y aroma, suaves y sutiles, tornan realmente especial este plato. En reemplazo propongo unas ramitas de otras hierbas suaves, como el perejil, el cilantro o la albahaca, para esta versión, respetable, espero, hasta para un bogotano.

Harira

En Marruecos, como en el resto del mundo islámico, durante el noveno mes del calendario lunar se celebra el Ramadán. Para ser un mes de ayuno, la verdad es que este mes es también el más ocupado del año para las cocineras. A la caída del Sol, y tras un largo día de ayuno, deben tener lista para toda la familia esta sopa (casi guiso) con base de tomates, muy nutritiva y fácil de digerir, pero sobre todo deliciosa. Es suave a pesar de llevar especias y tiene un aroma irresistible. Tradicionalmente se acompaña con dátiles, huevos duros y unas masas crocantes bañadas en miel (shebbakia). Lo que más me gustó fue que, a pesar de ser un plato de una cultura tan lejana, su sabor me fue familiar desde el primer bocado. Incluso es algo que les gustaría a los niños.

- Picar finamente 1 cebolla grande y 2 cdas. de perejil y cilantro.
- En una cacerola de hierro o barro (atención al material de la olla) con aceite de oliva, echar la cebolla picada y 1 taza de pollo o carne para guisos cortada en cubos muy pequeños. Condimentar con sal y pimienta y mezclar bien con una cuchara de madera (no tiene que dorar). Agregar 100 g de garbanzos remojados desde la noche anterior y escurridos (si son de lata, agregarlos después, al mismo tiempo que las lentejas) y cubrir con agua hasta unos 4 cm por encima de los ingredientes. Incorporar el perejil y el cilantro picados, 1 cdita. de jengibre seco en polvo, 1 o 2 ramas de canela y 1 cápsula de azafrán. Mezclar bien y tapar. Cocinar a fuego bajo por 40 minutos, espumando con frecuencia. Agregar 100 g de lentejas (previamente blanqueadas durante unos segundos para que no desprendan color marrón en la sopa) y dejar cocinar otros 20 minutos.
- Diluir en un poco de agua fría 3 cdas. de harina, 3 cdas. de extracto de tomates y otras 2 cdas. de cilantro picado (debe quedar una mezcla líquida y sin grumos). Incorporar a la preparación junto con 1 taza de arroz (si se prefiere usar fideos cabellos de ángel, incorporarlos más tarde) y cocinar por 15 minutos más o hasta que el arroz esté cocido. Corroborar que no le falte líquido y salpimentar. Apagar el fuego y dejar reposar 5 minutos.
- Servir bien caliente con más cilantro y un poco de jugo de limón.

Tagine de pollo, limón y olivas

La tagine, como también se llama la cazuela de barro con tapa cónica donde se cocina, es un plato sencillo, ideal para compartir, que se come con la mano y la ayuda de un pan. Siempre que los ingredientes sean mediterráneos (atención con esto), podemos hacerla de cordero, pollo, vegetales o pescado, en combinaciones increíbles. Y aunque sea prueben: con la mano tiene otro sabor.

- Poner la tagine (o la cacerola de barro o hierro) al fuego. Una vez caliente, rociarla con 4 cdas. de aceite de oliva y sal.
- Agregar 1 cebolla grande picada, 2 dientes de ajo fileteados, 1/2 taza de perejil picado, 1/2 atado de cilantro picado, 1/2 cda. de comino, 1/2 cda. de pimentón dulce, 1/2 cda. de pimienta blanca, 1 o 2 ramas de canela, sal y pimienta. Mezclar bien.
- Trozar un pollo y acomodarlo de manera que todas las partes entren en la olla. Dejar que dore apenas y dar vuelta para que se impregne bien en la mezcla.
- Incorporar 1 taza de agua fría y tapar. Dar vuelta una o dos veces mientras se cocina, unos 25 minutos. Bajar el fuego, agregar 1 taza de aceitunas verdes o rojas (las más ricas que consigamos), 3/4 taza de almendras tostadas y dos limones confitados picados. Dejar cocinar otros 15 minutos. Estará listo cuando la carne del pollo se desprenda fácilmente de los huesos.

 Si la salsa quedó muy líquida (puede pasar si el pollo es congelado, ya que tienen más agua que los frescos), retiramos las piezas de carne y mantenemos el resto tapado mientras la reducimos.

Limones confitados

La manera tradicional de hacerlos: veinte minutos de preparación, tres días de remojo, tres semanas de reposo.
Duran tres meses. Y valen la pena...

- Lavar bien la piel de 1 k de limones amarillos. Yo les paso una esponja sin jabón con fuerza. Ponerlos en una fuente y cubrirlos con agua fría. Dejar en reposo por tres días. Recomiendo dejarlos en un lugar apartado, ya que no falta quien los escurre cuando los ve. Sacar los limones del agua y con un cuchillo hacerles cortes como gajos, pero sin separarlos en los extremos. Con la ayuda de una cuchara, rellenarlos con sal gruesa (1/2 taza para todos).
- Esterilizar un frasco y poner en él los limones parados, para que la sal no se salga, lo más apretados posible. Agregar el jugo de 2 limones y 1 cda. extra de sal, aplastar bien y cubrir con agua hirviendo. Los limones deben estar bien cubiertos, no sobresalir del agua (yo les pongo encima un bol pequeño o una tacita de café). Cerrar el frasco y guardar en un lugar seco y oscuro por tres semanas. El líquido puede usarse para condimentar platos o ensaladas en lugar de vinagre.

La manera rápida (no quedan igual, pero sirven para el plato)
- Cortar los limones en gajos y hervirlos en agua con sal por cinco minutos. Escurrirlos. Repetir toda la operación cuatro veces, hasta que ya no estén amargos. Después, con la ayuda de un cuchillo, retirar y descartar la pulpa. Sólo se usa la cáscara.

Carbonada

La carbonada fue el primer plato de cocina regional argentina que hice, ya que tiene todo lo que más me gusta: choclo, batata, zapallo y fruta. Es un poco agridulce y con un toque de picante. La idea es usar un corte de carne que sea duro, para que se ablande con una cocción larga y desprenda todo su sabor, impregnando el resto de los ingredientes. Tradicionalmente no se hace con osobuco, pero creo que el hueso (y el tuétano) le aportan mucho sabor. Algunas recetas llevan también arroz y duraznos o manzanas frescas. Yo le pongo damascos secos.
Lo importante es que tenga fruta. Y que lo hagamos en olla de barro, casi fundamental.

- Cortar 500 g de paleta o 2 osobucos con mucha carne en cubos del tamaño que se desee.
- Picar finamente 1 cebolla y 2 dientes de ajo.
- Cortar en ruedas 3 choclos con el marlo (se puede usar desgranado, pero la mazorca aporta mucho sabor).
- Hidratar y picar groseramente 8 damascos secos.
- Cortar en cubos irregulares 1 batata grande, 1 calabaza (o un trozo grande de zapallo) y 1 papa mediana. Lo ideal es cortarlas hasta la mitad y quebrar el resto del trozo, para que queden "astillitas" que después se van a deshacer en el caldo, espesándolo.

- Cortar en cubos o tiras 1 morrón (es opcional) y 2 tomates pelados.

- En la cacerola, con un poco de aceite o grasa (es más rico con grasa, no hace falta decirlo), saltear la cebolla y el ajo picados. Después agregar la carne con 1 hoja de laurel. Cocinar 5 minutos a fuego medio. Añadir el tomate y el morrón (si es necesario, un poco más de aceite). Incorporar 2 o 3 cucharones de caldo verduras, el choclo y la papa. Cocinar 10 minutos más.

- Agregar la batata y la calabaza, los damascos, sal y pimienta. Tapar la cacerola y dejar cocinando por 20 minutos más (sin revolver, para no romper los vegetales). Apagar el fuego y dejar en reposo por 10 minutos.

Ya se sabe: todos los guisos son más ricos recalentados al día siguiente.

Sopa thai

Hay platos que sintetizan muy bien los sabores de una cultura, región o cocina. Esta sopa es un ejemplo. Tiene prácticamente todos los ingredientes que caracterizan la comida tailandesa: chile, jengibre, lemongrass, cilantro, cítricos (limón verde o lima), salsa de pescado, frutos de mar (langostinos), algún animal de tierra (pollo) y alguna fruta para aportar dulzura (coco). Y los brotes, como guarnición vegetal y crocante. Si buscamos esta lista en los ingredientes de muchos platos thai, seguro encontraremos más de cinco. Esta sopa, a pesar de sus sabores intensos, resulta suave y muy agradable al paladar, porque tiene el equilibrio de generaciones...

- Se puede empezar con agua y las cabezas de 3 o 4 langostinos (no se pongan franceses, tiene que ser un fondo suave).
- Dorar en una olla o un wok las cabezas de los langostinos hasta que estén bien rojas, nada quemadas. Agregar agua hasta cubrir bien (2 tazas), sal y un pedazo de verdeo fino. Dejar hervir por 15 minutos y colar.
- Poner en una cacerola 2 tazas (500 cc) de caldo japonés empaquetado de pescado, dashi o cualquier caldo con poca grasa. Agregar 10 cm de lemongrass cortado a lo largo y machacado, para que largue bien el sabor, y láminas de raíz de jengibre (como si fueran 5 monedas del jengibre pelado). Hervir por 6 o 7 minutos.
- Añadir 1/2 taza del fondo de langostinos, 1/2 cdita. de chile picado o pasta de chiles, según el coraje, y 2 cucharadas chicas de salsa de pescado (sin alarmarse por el olor a podredumbre de pescado que tiene). Mezclar bien y agregar 1 pechuga de pollo cortada en láminas muy finas y los langostinos, 1/2 taza de leche de coco y el jugo de 1/2 limoncito verde. Calentar 3 o 4 minutos sin dejar que vuelva a hervir, para cocinar las carnes. Probar y, si está muy fuerte, suavizar con media cucharadita de azúcar.
- Al sacarlo del fuego, retirar el lemongrass. En cada bol poner hojas de cilantro (a veces, si tengo, le pongo también un poco de menta o albahaca), brotes de soja, verdeo picado y, para aquellos a quienes les gusta mucho el picante, más chile picado.

Pollo con cebollas, martini y panceta

Este plato tiene ingredientes que evocan lo más simple de la cocina francesa: aromas, manteca y panceta. Ya sabemos que el maridaje pollo-hongos funciona, y muy bien. El sabor distinto se lo dan la naranja, la soja y el martini. Aunque ninguno de los tres está presente de manera evidente, aportan algo que hace la diferencia.

• Trozar un pollo. Generalmente lo corto en ocho (pata y muslo separados y las pechugas divididas en dos, dejando que parte del hueso del ala sea más chica para compensar el grosor), pero para este plato prefiero que los huesos estén prolijos. Para eso le quito las articulaciones, dejando limpios tanto el extremo de la pata como el primero del ala, que es el único que le vamos a dejar a la pechuga.

• Preparar una marinada con 1/2 taza de Martini Rosso, 2 naranjas (cortadas en rodajas y exprimiendo el jugo), 2 cebollas picadas, 3 hojas de laurel, 1/3 taza de oliva, pimienta en grano y sal.

• Meter el pollo y la marinada en una bolsa resistente y guardar en la heladera. Dar vuelta en algún momento.

• Pelar 12 cebollitas babies o conseguir cebollas bien pequeñas y elegir las más chicas; sirven perfectamente, y se les pueden sacar capas para dejarlas parejas.

• En una buena cacerola grande (ya sabemos que buena es sinónimo de gruesa), dorar las cebollitas a fuego medio con un poco de manteca (para esto y lo que sigue se necesitarán en total unos 80 g). Va a tardar; tiene que tardar para que queden bien doraditas. Sacar y reservar cerca.

- Sacar el pollo de la marinada, escurrirlo un poco y salpimentarlo con poca sal, ya que lleva también panceta y soja. Dorarlo sin cocinar con un poco de la manteca y aceite de oliva; sólo que la piel se dore bien. Si el diámetro de la cacerola es muy chico, hacerlo en tandas, y retirar a medida que se hace, sacando cada vez el exceso de grasa del fondo y cuidando que no queden partes quemadas.

- En la última tanda agregar 150 g de panceta y dejar que dore unos minutos, para añadir luego 300 g de portobellos (si son chicos: enteros; medianos: al medio; grandes: en cuartos) y 1 o 2 ramitas de alguna hierba, según el humor, y cortadas a mano: tomillo, salvia, estragón, romero, orégano... Dejar cocinar por 2 minutos para que se absorba el sabor. Volver a poner todo el pollo y las cebollitas.

- Encima, volcar 1 taza de Martini Rosso, 1/4 taza de salsa de soja y 1 taza de caldo. Dejar que levante hervor y bajar el fuego. Espumar por una hora y 15 minutos. Si hace falta líquido, agregarle un poquito más de caldo durante la cocción.

- En más o menos un cucharón del líquido caliente disolver 3 cdas. de harina y volver a echar en la salsa. Cocinar otro cuarto de hora. Apagar el fuego, tapar y dejar reposar 5 minutos más.

- Como guarnición, nada me gusta más para acompañar este tipo de platos que un buen y simple puré de papas.

Curry de cordero

Los curries son básicamente guisos, de cocción larga o corta; con carne o vegetarianos; mixtos, rojos, verdes y amarillos; con especias secas o ingredientes frescos. Muchos países tienen los propios. Otros simplemente hicieron suyos los de otras culturas. Estos curries llevan especias, ghee (manteca clarificada) y a veces yogurt.
Los de Tailandia son frescos, con chiles, jengibre, lemongrass, leche de coco, hierbas, ajo, cebollas y verdeo.
Hay curries más dulces y otros muy picantes (cuidado con los rojos, señal internacional de alarma).
Este curry, un poco más simple, fue el primero que aprendí a hacer; por eso lo elegí. Los japoneses, que lo adoptaron directamente de los indios, lo llaman "kare" y lo comen mucho en la calle, con arroz o fideos.
Es ideal para "estirar" si viene más gente de la prevista: un poco más de curry y más carne o vegetales
(los que se desarmen pasarán a formar parte de la salsa, sin perder sabor).

- Cortar 600 g de pata (o paleta) de cordero en cubos de 2-3 cm. También se puede hacer con pollo. Salpimentar y reservar.

- En una cacerola, agregar un poco de aceite (o manteca), rehogar 1 cebolla grande en cubos chicos o juliana y 2 dientes de ajo picados.

- Agregar 1/2 cda. de jengibre rallado, chile picado (cualquiera, o uno picado sin semillas), 1 morrón en juliana o cubos y 2 cdas. generosas de polvo o pasta de curry.

- Dejar que ablande la cebolla y poner la carne. Revolver hasta que se ponga blanca.

- Incorporar a la cacerola 1 papa mediana en cubos y 3 varas de verdeo fileteado fino. Cubrir con el caldo (hasta 1 cm por encima de la carne), bajar el fuego y dejar cocinar por 12 minutos.

- Agregar 1/2 calabaza (o 1 taza de cubitos de zapallo) y 1 manzana verde en cubos. Si hace falta más caldo, agregar un poco, pero no mucho, para que espese. Si es necesario, espumar.

- Cuando la calabaza empieza a desarmarse al revolver, está listo (la verdura se tiene que romper un poco para hacer el líquido más espeso).

- Si está muy picante, agregar otra papa a la preparación y dejar cocinar con un poco más de caldo.

Cortar cebolla en pluma (láminas bien finitas) y mezclar con hojas de cilantro, sal, pimienta y aceite de oliva. Dejar macerar unos segundos. Servir el curry de cordero en cazuelas con más verdeo picado y arroz blanco simple.

Podemos tener en la mesa bols con ensaladas y, si tienen, un poco de chutney, para que cada comensal le ponga a su gusto.

111

Consejos

• Si no tienen mortero, pueden poner semillas envueltas en un repasador o servilleta limpios y pasarle por encima con un palo de amasar o la base de una cacerola pesada.

• Si tienen dudas con respecto al curry, disuelvan un poco en agua caliente y prueben si es muy picante. Una cucharada sopera es suficiente para 4 o 5 porciones. Si queda muy suave, agreguen un poco más, vuelvan a llevar a ebullición por 2 minutos y bajen el fuego.

• Si aumenta la cantidad de comensales y deben multiplicar las porciones, no hagan la misma cuenta con las especias y los picantes. Es mejor ir probando a medida que se va haciendo.

• Pueden hacer su propia mezcla de especias, pero sólo cuando las conozcan (su intensidad, cómo reaccionan al calor, cuáles se complementan) y se sientan seguros, podrán inventar su propio curry en el momento. O pueden comprar algunos de los que vienen hechos, en polvo o en pasta.

Moqueca de pescado

La primera vez que probé la moqueca dormí toda la tarde. Pero no así la segunda ni las siguientes, porque aprendí la diferencia fundamental: las señoras bahianas en sus casas no usan aceite de dendé (de palma) desde el principio de la cocción, ni ponen mucho; lo usan al final y en gotas. Si se busca más color, se pueden poner unas gotas de aceite común al comienzo. El aceite de dendé es muy pesado, pero aporta mucho color y aroma. Si consiguen una botellita chica, les va a durar mucho tiempo. Tengan cuidado si se les derrama, porque mancha, y mucho.

Condimentar 1 k de filetes de pescado fresco (róbalo, lenguado o abadejo) con un poco de sal, pimienta y el jugo de 1 limón. Dejar reposar (en frío, siempre en frío) por 10 minutos.

- En una cacerola (perdonen la insistencia: mejor si es de barro o hierro) poner 2 cdas. generosas de aceite común, 8 semillas machacadas de coriandro y 4 dientes de ajo picados. Rápidamente, agregar 2 cebollas chicas cortadas en rodajas muy finas o picaditas y 1 morrón igual.

- Dejar cocinar unos minutos sin revolver mucho, sólo mezclando, e incorporar la mitad de 4 tomates pelados y sin semillas cubeteados. Ya es cuestión de gustos agregar también 2 chiles. Sacudir levemente, para no desarmar mucho las capas.

- Agregar un puñado de cilantro, reservando un poco para el final, 2 cdas. de perejil y 2 cdas. de ciboulette o verdeo picados.

- Poner arriba de todo los filetes de pescado, otra capa de tomates y 1/2 vaso de agua.

- Dejar cocinando de 10 a 15 minutos a fuego medio (según el grosor del pescado).

- Agregar 2/3 de taza de leche de coco, el resto del tomate y 1/2 k de camarones o langostinos. Sacudir la fuente un poco (no revolver) y dejar cocinar otros 5 minutos.

- Terminar con más cilantro picado y 1 cda. de aceite de dendé.

Cocineros

115

Egoístas

Al que le gusta cocinar y le gusta comer, le gusta cocinarse. Y hay platos que, por distintas razones, son para hacer poca cantidad. El sambayón, por ejemplo, requiere mucho brazo para batir. Y la verdad es que hacer más de dos o tres porciones resulta muy incómodo, sobre todo con implementos caseros, en vez del instrumental gigante que por lo general tenemos los cocineros. Los mejillones, por su parte, son una delicia y no requieren mucho trabajo, pero sí una cacerola enorme en comparación con lo que rinden.

Las costillitas de cordero son otra cosa, que, si queremos comerlas con el huesito limpio, les sugiero hacer pocas, en especial si no tienen mucha práctica, ya que desafilan los cuchillos, cuestan trabajo y ocupan mucho lugar en la sartén para la poca carne que se obtiene. Aunque retribuyen todo el esfuerzo con su sabor, como todas las carnes cocidas con hueso.

Ostras: si no tienen experiencia en abrirlas, les va a costar, pero no es imposible. En general son caras, pero vale la pena deleitarse un atardecer con una fuente con ostras, hielo y una copa bien fría de champagne o cerveza.

Soufflé… El soufflé es un plato que necesita audiencia cuando sale del horno, porque después nadie nos cree que salió tan alto. Y es más fácil tener un espectador que reunir a seis para que vean lo lindo que está apenas lo sacamos del calor.

Tempura: cuanto más aceite en la sartén, menos en la comida. Pero hay que freír los ingredientes de a poca cantidad. Y si son muchos los comensales, algunos terminan comiéndolo húmedo o frío.

El bife con salsa béarnaise es ideal para esos momentos en que no importa nada: ni las calorías ni todo lo que dicen que no hay que comer. A veces, es mejor elegir bien lo que vamos a comer que no nos hace "tan" bien. Ésta es una muy buena elección para portarse mal.

Ñoquis rellenos: sí, sí… mucho trabajo y se van a querer matar si son muchos. Pero dos porciones… una pavadita.

El pato finalmente: llena de humo y olor la cocina (y por ende al cocinero también), por lo que es mejor hacerlo en confianza.

Como éstos hay muchos otros platos que van a seleccionar ustedes mismos pensando: "Esto no lo hago nunca más para ocho…", "Mejor pruebo primero para mí y sólo después para otros". Si queremos mimarnos o agasajar a alguien más, podemos gratificarnos con algo que generalmente no compramos o ser creativos y probar cosas nuevas en el menú diario, ese que comemos en la cocina y directo de la sartén (pequeños lujos que podemos darnos si estamos solos).

Disfruten al máximo de la privacidad o de la compañía de su pareja, hijo, amigo, vecino o mascota.

Pónganse cómodos y siéntanse dueños de sus cocinas haciendo algo diferente, para ninguna ocasión en especial.

Los ingredientes y proporciones están pensados para dos, así se evitan las fórmulas y los cálculos matemáticos...

Sambayón

La proporción es tan fácil que no la olvidarán nunca: 1x1x1. Una yema, una medida de azúcar y una de oporto o marsala (o el licor que se desee). Y como medida usamos la misma cáscara de huevo.

- Ponemos los ingredientes en un bol, justo en el momento en que vamos a usarlos (no antes, porque el azúcar va a cocinar las yemas). Batimos un poco fuera del fuego y después sobre el vapor de un baño maría, nunca tocando el agua. Tarda un rato (si lo hacemos a mano, mucho más, por lo que es mejor usar un batidor grande o directamente uno eléctrico, que es más rápido). La mezcla debe quedar espesa como la crema batida y de color amarillo bien pálido. Va a casi triplicar su volumen. Se calcula 1 yema por persona, pero yo hago 3 para dos personas. Queda rico con frutas ácidas como frutillas o frambuesas, más unas nueces tostadas.

Mejillones

- Lo más importante es limpiar muy bien los mejillones, que tienen "barba", descartando los que estén partidos o abiertos. En una cacerola donde entren cómodos, poner un poco de aceite de oliva, 1 echalote grande, 2 dientes de ajo y un poco de perejil (en total usaremos 4 o 5 cucharadas), todo picado muy fino. Dejar que desprendan aroma sin llegar a dorarse, agregar 1 vaso de vino blanco (el mismo que vamos a tomar con el plato) y tapar. Dejar cocinar unos minutos. Subir el fuego, destapar y agregar 1,5/2 k de mejillones; volver a tapar.
- Sacudir la cacerola unas cuantas veces, espiar para ver si se abrieron todos. Si no, remover los de abajo hacia arriba y volver a tapar por 1 o 2 minutos más. Apagar, rociar con el resto del perejil y unas gotas de limón. Con papas fritas para acompañar, una gloria...

Costillitas de cordero con papas panaderas

● Como llevan más tiempo de cocción, lo primero es pelar y cortar 3 papas medianas lo más finitas que se pueda (cuanto más finas, más ricas). Ponerlas en una fuente junto con 2 ramitas de tomillo, 2 fetas de panceta picadas, de manera que queden bien cubiertos por 1 taza de aceite de oliva (menos si la fuente es chica). Llevar a horno muy bajo por 1 h 30'. Escurrir un poco cuando las papas estén frías y pasar a una placa amplia para llevarlas a horno fuerte hasta que estén bien doradas (no más de 15 o 20 minutos). Tengan cuidado: las que están en los bordes se doran primero, por lo que hay que rotar la fuente para lograr una cocción pareja.

● Seguimos con el cordero, un costillar cortado de a 1 o 2 costillas (hay que pedirle específicamente al carnicero cómo las queremos). Quince minutos antes de cocinar las costillas, sacarlas del frío y frotarlas con 2 ramitas de

romero, 2 o 3 dientes de ajo enteros machacados, sal semigruesa (parrillera) y pimienta. Poner en una sartén gruesa y bien caliente, primero del lado de la grasa. Esperar a que se doren, dar vuelta de un lado de la carne, volver a dar vuelta y, si es necesario, terminar la cocción en horno muy fuerte por apenas 2 o 3 minutos. El cordero tiene que quedar rosado por dentro, sí o sí.

● La salsa es tan exquisita como sencilla: simplemente machacar en un mortero 3 cdas. de alcaparras, 2 rodajas de pan blanco (lactal), 1 cda. de miel, 2 cdas. de mostaza, 2 cdas. de vinagre, 3 o 4 cdas. de menta picada, sal y pimienta, hasta formar una pasta, agregando un poco de agua si es necesario. También se puede procesar, pero es más rico si tiene textura.

Ostras

- Lo primero y principal es saber elegir las ostras (siempre vivas, de lo contrario es mejor cambiar el menú), que conservaremos en frío hasta el momento de su manipulación.

- Antes preparamos el aderezo, con limón, salsa tabasco, escamas de sal y (como a mí más me gustan) 1/2 tacita de vinagre de jerez, apenas una pizca de azúcar y 2 cdas. de echalotes picados lo más finamente posible.

- También quedan ricas con una salsa oriental que suelo usar para muchas otras cosas, como ensaladas, empanaditas chinas, gyosas, langostinos o pescados fritos: 4 cdas. de vinagre blanco, 1 cdta. de azúcar, 1 chile picado, 1 cda. generosa de cilantro picado, 1/2 cda. de salsa de pescado (thai o vietnamita, se compra en tiendas orientales), 1/2 cda. de jengibre rallado fino y 5 cdas. de agua fría, todo mezclado hasta que el azúcar se disuelva.

Cuando tenemos esto listo pasamos a la operación de abrir las ostras, con mucho cuidado de no lastimarnos. Para eso recomiendo protegerse la mano que sostiene la ostra con un repasador doblado por lo menos en cuatro y prestar atención de abrirlas con la cara (el lado chato) hacia arriba, así no se pierden los jugos. Podemos apoyarlas sobre una base de sal, para que se asienten bien y no vuelquen el jugo (que es básicamente agua de mar) o, si hace mucho calor, sobre hielo (mejor si es picado o roto).

Soufflé de dátiles

- Precalentar el horno hasta una temperatura de 220º C es lo primero.

- Sacar el carozo de 50 g de dátiles (según el tamaño, serán entre 8 y 12) y picarlos. Ponerlos en una sartén chica con 5 cdas. de oporto, un toque de canela y 2 cdas. de agua. Reducir a fuego bajo, revolviendo hasta que se forme una pasta. Dejar que se enfríe.

- En el fondo de los bols ponemos la sorpresa para el final: un poco de chocolate y dátiles y almendras (o avellanas) picados. Batir 2 claras a nieve, bien firmes (el bol debe estar limpio y seco) y los huevos a temperatura ambiente.

- Con cuidado, mezclar un poco del puré de dátiles con las claras. Después agregar un poco más y terminar incorporándolo todo (con delicadeza para que no se bajen).

- Llenar hasta arriba 2 moldes resistentes al calor, de paredes rectas y amplias, y pasar el dedo por el lado interno del borde, para que el soufflé no se pegue y levante bien. Antes de ponerlos en el horno (recomiendo que lo hagan sobre una placa o fuente, para poder sacarlos fácilmente), vamos a bajar la temperatura a 190º C. Necesitan entre 12 y 15 minutos de cocción. Si levantan y doran muy rápido, entonces el horno estaba demasiado fuerte.

- Cuando salen del horno hay que comerlos enseguida; yo le ahueco el centro con una cuchara y vuelco la salsa dentro.

- La salsa es fácil: picar 40 o 50 g de chocolate y derretirlo a baño maría. En una ollita calentar 1/4 taza de leche y 1 cda. de crema (para mí no necesita azúcar, porque los dátiles son cincuenta por ciento azúcar). Volcar sobre el chocolate y, mientras esté caliente, agregar 1 cdita. de manteca fría. Revolver bien y servir con el soufflé.

Tempura

Cuando yo era chica, mi mamá tenía una amiga japonesa, "la japo", que nos hacía tempura. Así que es uno de mis platos favoritos desde que tengo 6 o 7 años.

- Primero, la salsa. Calentar apenas 1/2 taza de caldo de pescado suave o directamente agua. Con rallador fino de esos que hacen puré y no escamas, rallar 3 cdas. de nabo (escurrirlo bien) y 1/2 cda. de jengibre. Poner de base en un bol una bolita de nabo rallado y arriba otra de jengibre. Picar la parte verde de 2 cebollas de verdeo bien finitas. Y antes de servir poner el verdeo en el plato y colocar en el bol de la salsa un poco del caldo tibio, 2 o 3 cdas. de soja y 1/4 de cdita. de azúcar; mezclar bien.

- Ahora sí: calentar a fuego medio una sartén profunda o un wok con mucho aceite. Limpiar los langostinos, dejándoles sólo la colita y hacer 2 o 3 cortes del lado donde estaban las patas (superficiales, para que no se curven con la cocción). Secarlos bien y pasarlos apenas por harina.

- En una taza mezclar apenas 1 huevo con 3/4 taza de soda o agua con gas bien fría. En un bol, y a último momento, poner 1 taza de harina y agregarle poco más de la mitad del líquido con el huevo, mezclando descuidadamente (la masa tiene que tener grumos). No lleva sal.

- Tirar una gota de masa al aceite: si baja, toca el fondo y sube mientras contamos 3 segundos, está listo.

- Pasar un langostino por la masa (si no están acostumbrados a usar palitos, los toman de la cola con pinzas o con la mano, pero es importante mojarnos bien los dedos en masa para evitar quemarnos). Limpiar un poco el exceso en el borde del bol, ya que no debe quedar totalmente cubierto como un buñuelo. Sumergirlo en el aceite y, sin soltarlo, sacudirlo para que algunas gotas de masa se desprendan, formando picos.

- Seguir con el resto, retirando con una espumadera las sobras de masa del aceite, para mantenerlo limpio.

- No dejar que se doren mucho, sólo hasta quedar crocantes. Retirar y dejar escurrir sobre un papel, para comerlos enseguida con la salsa y el verdeo picado.

Bife bèarnaise

- Una plancha de hierro (gruesa y bien gastada). Un buen fuego. Un corte de carne tierno y sabroso... Esa es la situación ideal para este plato.

- Otra vez: hay que sacar la carne de la heladera un rato antes, para que en el momento de cocinarla esté a temperatura ambiente. Salpimentarla con un poco de sal gruesa y pimienta. Precalentar bien la plancha (tiene que estar caliente, pero con fuego medio, no máximo, y frotarla con un trocito de la grasa de la carne.

- Apoyar el bife y no moverlo hasta ver sangre en el lado superior, darlo vuelta y dejarlo la mitad del tiempo (si es una pieza muy gruesa, terminar en el horno unos minutos). A mí me gusta jugoso.

- La salsa bèarnaise está en la sección "Básicos" (pág. 60). Todas esas calorías y proteínas van a combinar muy bien con unas sobrias hojas amargas como las de escarola, radicchio, radicheta y, principalmente, endibias.

Ñoquis de remolachas

• En horno a 180º C asar sobre 1 taza de sal gruesa, durante 50 minutos aproximadamente, 2 remolachas medianas y 3 papas (500 g más o menos) bien lavadas hasta que estén tiernas. Es para que tengan poco líquido y absorban menos harina. Una vez tibias, pelarlas y hacerlas puré, tratando de que no queden grumos (tamizar si es necesario).

• Poner una cacerola con mucha agua a hervir, con un poco de sal.

 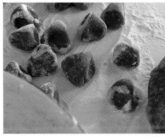 

• Mezclar los purés con 1 huevo y empezar a agregar harina tamizada poco a poco. Es mejor empezar a hacerlo en un bol y, una vez que esté más formada la masa, trabajarla en la mesada.

• Seguir agregando harina (la menor cantidad posible) hasta que no se pegue a las manos con un contacto suave (la masa tiene que ser muy tierna). Lo ideal es ir probando tirando una bolita chica al agua, para ver si se desarma.

- Estirar un rollo de masa, cortar trocitos del tamaño de un huevo de codorniz y formar bolitas con las palmas de las manos.

- Una vez que todas las bolitas estén listas, tomar un pedacito de queso de cabra tierno y rellenar cada ñoqui, cerrándolo bien. Con las puntas de los dedos índice y pulgar presionar levemente para hundirlos un poquito en el centro y que se cocinen parejo (quedan un poco triangulares).

- A medida que los hacemos, los espolvoreamos con semolina (usaremos unas 2 cdas.) para que no se peguen. Batir la crema y, una vez montada, agregar 1 cda. de krein, sal y pimienta.

- Derretir 1 cda. de manteca (si clarificada, mejor) y dorar unas hojas de salvia; retirar y dejar la manteca lista cerca de la cacerola.

- Hervir los ñoquis. Cuando suban a la superficie, están listos (2 o 3 minutos; puede ser menos si son chiquitos).

- Pasar a la sartén con manteca y agregar perejil y ciboulette picados. Saltear un minuto y servir con 1 cda. de crema arriba y hojas de salvia crocantes. También queda muy rico con alcaparras fritas.

Pechuga de pato

- En la piel de 2 pechugas de pato sacadas de la heladera 10 minutos antes, con un cuchillo bien filoso de un tamaño manejable y mucho cuidado, hacer cortes poco profundos (apenas la mitad del grosor de la piel) en forma de cuadrillé, líneas hacia un lado y hacia el otro cruzadas. Frotar con sal y pimienta de ambos lados.

- Continuar poniendo a remojar en un bol 3 ciruelas pasas en 1/2 vaso de vino (cualquiera). En una sartén chica con 1/2 cda. de manteca poner 1 echalote picado a fuego medio hasta que empiece a dorarse. Agregar 1 ciruela fresca picada, saltear unos minutos para que caramelice, y sumar las ciruelas pasas remojadas, picadas y escurridas, sal, pimienta y 3 cdas. de vinagre. Dejar reducir mezclando con cuchara de madera. Después incorporar el vino, bajar el fuego y dejar que se cocine hasta que las frutas estén casi hechas puré, 5 minutos aproximadamente. Pasar todo por un colador de alambre, presionando para que pase bien toda la fruta a una ollita chica. Cuando levante hervor suave, agregar 1 cda. generosa de mermelada o dulce de ciruelas. (También puede ser todo igual, pero con damascos, duraznos o higos.) Por último, añadir 1 cda. y 1/2 de manteca fría. Reservar tibio y tapado hasta el momento de servir.

- Para cocinar el pato, poner las pechugas con la piel hacia abajo en una sartén bien gruesa o una plancha lisa y prender el fuego al mínimo. Dejarlas ahí, sin moverlas hasta que se hayan desgrasado y dorado bien. Mientras, precalentar el horno.

- Blanquear 1/4 de zapallo de cáscara negra o 2 batatas peladas y en cubos en agua hirviendo por 4 minutos y escurrir bien. Cuando el pato esté bien dorado, pasarlo al horno, dejando la sartén con su grasa en el fuego, y agregar a esta el zapallo, sal y pimienta y 1 ciruela fresca cortada el medio sin carozo (del lado de la carne). Dejar hasta que estén bien dorados y secar sobre papel.

- El pato, según el tamaño, no va a estar más de 4 a 6 minutos en el horno. Debe quedar jugoso; cocido, pero jugoso. Cuando sale del calor tiene que reposar 2 minutos antes de cortarlo, o se perderá todo el jugo. Servirlo junto con el zapallo, la ciruela y mucha salsa.

panceta + huevos

arroz + salsa de soja

sauternes + foie gras

trufas + pasta

bife + papas

frutillas + crema

cordero + ajo

armagnac + ciruelas pasa

oporto + queso stilton

sopa de pescado + ruille

pollo + hongos

café + cognac

La complementariedad es un misterio, en lo que se refiere tanto a las personas como al sabor.

128

sancerre + crema de moras

salmón + eneldo

salmón + huevo

leche + vainilla

leche + miel

mariscos o pescados + limón

naranjas + chocolate

frutos rojos + chocolate

maracuyá + chocolate blanco

quesos + uvas, frutos secos y frutas pasas

tomate + albahaca, tomillo, orégano y estragón

cerdo + mostaza y ciruelas

cerdo + manzanas

cerdo + batatas

pavita + miel + damascos

pato + naranjas

queso azul o roquefort + peras

manzanas + canela y nueces

papas + romero

coco + dulce de leche

higos + queso de cabra

ajo + perejil

Sabores

que combinan

sin esfuerzo

parejas

Cosas que vibran en la misma frecuencia.

pan + manteca

pan + queso

manteca + miel

champignon + crema de leche

aceite de oliva + aceto balsámico

paté + jalea

palta + limón + cilantro

banana + dulce de leche

ajo + jengibre

chile + cilantro

queso + jamón

flan + dulce de leche

echalote + vinagre de jerez

café + chocolate

remolacha + vinagre

panceta + ciruela

alcauciles + limón

jengibre + soja

curry + carnes

espinaca + salsa blanca

queso + salame

hojas verdes + cítricos

anchoas + ajo

alcaparras + cordero

cardamomo + crema o leche

ajo + casi todo

menta + arvejas

leche + nuez moscada y papa

azafrán + pescado

pollo + estragón

salchichas + mostaza

papas fritas + ketchup

higos + roquefort

jamón con melón + rúcula

carne + sal

zapallo o batata + salvia

Unidad en la pluralidad. Eso es una pareja.

No sólo para chicos

Fue en San Pablo, no hace mucho. Estaba en un restaurante y en una mesa, a mis espaldas, se sentó una familia: mamá, abuela y nieta de entre unos nueve y diez años. Todavía no las había visto cuando escuché –y no de chusma, sino porque hablaban alto– la siguiente conversación: "Quiero tomar jugo" dijo la nena. "No", le respondió la madre mientras se pedía una caipiriña. "El jugo te engorda. Mejor pedí una bebida light." ¿Cómo? Lo primero que hice fue darme vuelta para ver si la nena era gordita y estaban tratando de cuidarla. Pero no. La nena y la abuela eran flacas, normales. La que parecía un tanque enfundado en calzas amarillas era la mamá. ¿Cambiar una fruta por bebida light?, pensé. Qué problema…

Tenemos cinco sentidos, en eso estamos de acuerdo. Desde que somos muy chicos, casi bebés, somos estimulados visualmente con colores fuertes en todo los que nos rodea. También encontramos a nuestro alcance diferentes texturas en juguetes pensados especialmente para estimular el tacto. Nos rodean melodías, ladridos y todo tipo de ruidos y ruiditos para despertar nuestra curiosidad auditiva. Todo está preparado para estimular nuestros sentidos. Y funciona, seguro. Pero, como dije al principio, nuestros sentidos son cinco. Del olfato y del gusto, ¿quién se encarga? Como si no existieran. ¿Entonces? Entonces, más allá de que a muchos bebés se los alimenta nada más que con papilla de zapallo, queso crema, pollo, sémola, galletas cargadas de azúcar y no mucho más durante meses, lo que quieren comer por voluntad propia es rojo, verde, amarillo, azul, fucsia, con ruidos, brillos y toneladas de azúcar o sal (casi todo lo que se vende en los quioscos). Es decir que este tipo de elecciones no se debe nada más que a un marketing dirigido a los más chicos, sino que tiene que ver, además –y en gran parte–, con una falta de estimulación temprana de los sentidos del gusto y el olfato. Porque, de estar bien desarrollados, les daríamos a los chicos herramientas más fuertes para que no sean tan vulnerables en el tire y afloje que se da entre lo que queremos que coman cuando crecen y lo que piden por ellos mismos.

Generalmente, les damos cosas casi sin olor, con sabores o muy sosos o muy salados, o dulces y con aromas artificiales (snacks y golosinas, más que nada). Y es en ese marco que la mayoría de los alimentos naturales no encuentra su lugar porque, sencillamente, no se les dio la posibilidad de hacerse conocer. "La comida es aburrida y no me gusta; la chatarra es divertida y rica". Eso es, perdón, una pavada.

Pero volvamos a la anécdota inicial. Si no queremos que los chicos consuman tanto azúcar, la solución no es darles productos light, porque siguen siendo dulces y lo único que vamos a hacer es elevar su necesidad por este sabor. Algo que van a aplacar con cualquier cosa cuando no los miramos (obvio, de nuevo: golosinas y snacks).

Otro tema muy importante: los desórdenes alimentarios. Generalmente, se trasmiten de madres a hijas. Por eso, es importante que los chicos nos vean comer e interactuar con la comida. "Comer juntos" no es sólo un hecho social, es, además, un momento ideal para dar ejemplos. Lo sabemos: aunque se rebelen, los chicos siempre copian a los grandes. Para empezar, nosotros no deberíamos comer tanta azúcar ni cosas dulces. Los chicos hacen lo que ven.

Lo dijimos más de una vez, pero lo vamos a repetir: la clave es "de todo" y lo más natural posible. Los chicos pueden comer fritos, panceta o grasas siempre y cuando lo que más consuman sean vegetales y frutas. Y ahí el tema es lo que queda afuera de la dieta (y no tanto lo que comen). Ese es el problema. Si les damos salchichas, puré, fideos, milanesas, pizza, empanadas, bifes, arroz, pollo, frituras de pescado compradas y papas fritas, no esperemos que su dieta sea más variada cuando sean grandes. A los chicos hay que darles comidas ricas. Pero ricas en vitaminas. Ricas en grasas buenas. Ricas en sabor. Ricas en variedad. Y comer variedad de alimentos –también lo diji-

mos– no significa gastar más plata. Los vegetales y las frutas de estación son los más baratos y rotan todo el tiempo, pero, si los chicos no los conocen, es obvio que nunca van a gustar de ellos. La idea no es que coman verdurita hervida –obligados– porque les hace bien. Todo lo contrario: tienen que comer con ganas, porque lo que consumen tiene que gustarles. Y para eso es importante que prueben.

Hay un dato que es fundamental: de manera casi hereditaria, nos gusta la carne, eso está comprobado. Pero al resto de los alimentos hay que probarlos. El truco está en que para acostumbrarnos a un sabor y saber si realmente nos gusta o nos disgusta hacen falta, por lo menos, nueve intentos. Así que no es necesario forzar las cosas de entrada, nos quedan otras ocho oportunidades.

Otra cosa. Tampoco hay que decir "no, la espinaca no le gusta", adelante del pequeño o la pequeña en cuestión, porque a partir de ese momento es casi seguro que nunca más le guste. Si pregunta "qué es", es mejor decirle: "tortillitas de bosque" –o alguna mentirita de esas–, en lugar de responderle "espinaca"; de esa manera, dejamos abierta la oportunidad para otra prueba de espinaca. Cuando les demos a los chicos un sabor nuevo, no lo hagamos con ansiedad o temor a que no les guste, demostremos entusiasmo: ellos perciben todo. Darles frutas enteras para que jueguen y la toquen es una muy buena forma de empezar. Si se meten todo en la boca, también lo van a hacer con una pera, por ejemplo, que siempre es mejor que la tapa de plástico de algún envase. La comida es divertida. Cuando somos adultos, es nuestro momento de distensión, y para los chicos no tendría por qué ser distinto.

De chica me gustaba comer, me gustaba tocar la comida y experimentar. Ya en la escuela, mi problema era cuando me invitaban a comer a la casa de mis compañeritos: quería lo que comían los grandes (ni fideos ni hamburguesa ni panchos). No entendía por qué la diferencia y la discriminación. Yo quería comer rico, condimentado, con sabores; ni más ni menos que como corresponde. Por eso creo que, a partir de cierta edad, los chicos no deberían tener un menú aparte.

Y también deberían cocinar. Me parece que a los chicos les resulta más atractivo comer algo en lo que, de alguna manera, participaron eligiendo la fruta, pelando mandarinas, limpiando papas, golpeando milanesas, haciendo una masa, batiendo huevos… La comida no es un misterio y, si la tocan, saben cómo se siente y cómo era antes de ser "comida", entonces, y ahí sí que es más fácil que la quieran probar. Obvio, esto es algo que no podemos hacer todos los días porque, en general, no tenemos tiempo; pero, de vez en cuando, hay que alentarlos a participar.

Nunca es tarde. Y es bueno saber que no nos disgusta cambiar, sino que nos hagan cambiar por la fuerza. Por eso, es bueno entender los mecanismos para inducir el cambio sin que resulte agresivo.

Enseñarles a los más chicos a comer bien empieza por estimular su paladar desde el momento en el que llegan al mundo. La leche materna cambia de gusto según lo que come la madre, y es bueno que el bebé se acostumbre al cambio, a lo imprevisible. En definitiva, y a fin de cuentas, así es la vida.

Para los más chicos...

Para las recetas de los más chiquitos, Yamila –una amiga y también cocinera– trajo a su bebé, Bruno, que estaba empezando a comer. Así que todo lo que le hicimos era nuevo para él, y sus caritas son auténticas "primeras impresiones".

Empezamos por la fruta. Probablemente, nosotros no comeríamos bananas con manchas negras y bien blandas, pero a los chicos les encantan porque son más dulces. Cuando están muy, muy maduras (casi pasadas para nuestro gusto), las frutas son ideales para los chicos. Lo único que queda es mezclarlas entre sí.

La papaya, parece, le divirtió mucho, probablemente por el color. Al principio la mezclamos con bananas pisadas, todo hecho puré, pero con algunos trocitos (grumos) de fruta blanda. A la banana le sacamos todos los hilos antes de pisarla con un tenedor. La otra novedad fue la palta. Bien tierna, cuando la pisamos le pusimos un poco de jugo de naranja (si la naranja no es muy dulce, le podemos poner apenas un poquito de azúcar). Le encantó.

Estas son sólo algunas ideas que intentamos y funcionaron. El objetivo es que probemos agregar o combinar sabores diferentes con cosas que tenemos a mano, pero que no se nos hubiera ocurrido darles a los chicos. Ejemplos: cuando ya pueden comer mejor, frotarle un ajo en el bife, o agregarle una hojita de albahaca al puré o hacer un puré de manzanas con un poco de morcilla. A improvisar y a mirar las caras, que lo dicen todo.

Flan sin caramelo con banana pisada

Le hicimos un flan común, pero no le pusimos caramelo en el fondo (que es un poco amargo) y lo coronamos con puré de banana. Ahí se volvió loco, y directamente lo atacó con la mano.

● Calentar 1/2 litro de leche. Mezclar 3 huevos con 3 yemas y 1/3 taza de azúcar, batiendo apenas, sólo para romper la liga de los huevos. Integrar la leche poco a poco sobre los huevos sin dejar de revolver. Tamizar, para evitar grumos, y volcar sobre 6 moldes individuales hasta la mitad (así probablemente rinda para más, es mejor que sean chiquitos). Poner los flanes en una asadera con papel absorbente o de diario en la base y agua. Cocinar a baño maría tapado con aluminio en horno a 160º C unos 25 o 30 minutos.

- Dejar enfriar y llevar a la heladera. También se les puede agregar el puré de banana a la mezcla antes de ponerla en los moldes. A la vista no queda muy lindo, pero les va a encantar.

Cabellos de ángel dulces

- Hervir 1 taza grande de leche y cuando levanta hervor suave agregar un puñado de cabellos de ángel rotos con la mano y 1 cda. de azúcar rubia. Cocinar hasta que estén tiernos. Retirar del calor, incorporar un huevo y revolver para que con el mismo calor se cocine. Para estar seguros, volver al fuego unos minutos más, revolviendo constantemente. También se puede comer frío.

Carne picada con espinaca

- Rehogar hasta transparentar una cebolla bien picada en 1 cda. de aceite. Agregar 3/4 taza de carne picada, salpimentar y dejar cocinar por 5 minutos removiendo sin parar. Agregar entre 3 y 4 cdas. de crema de leche, dejar que rompa el hervor y poner 1 taza de fideos de sopa o arroz cocidos. Incorporar una taza de espinaca fresca picada y 2 cucharadas de queso parmesano rallado.

Cous cous con damascos y canela

- En una cacerolita con casi 1 taza de agua, calentar 4 damascos secos y hervirlos por 5 minutos. Retirarlos y hacerlos puré. En la misma ollita poner 1/2 taza de leche, 1 pizca de canela y dejar que levante el hervor. Agregarle 1/2 taza de cous cous, revolver con un tenedor y dejar que se hidrate bien. Por último, agregar el puré de damascos y mezclar bien, dejando que baje la temperatura. Se puede comer frío o tibio.

Puré de pera y zanahoria

● En una ollita hervir en poca agua 1 zanahoria pelada y cortada en trozos. A los 5 minutos agregar 1 pera pelada y sin semillas, también cortada en trozos. Bajar el fuego y cocinar hasta que estén bien tiernas. Hacer un puré. Es bueno mezclar algunas frutas con vegetales, como la manzana, la pera, o el durazno. Le agregan dulce y lo hacen más apetitoso.

Creme brulée de batata y pescado

Queda tan rica que van a querer comérselo ustedes. Hacer capas de sabor es bueno
porque tiene un efecto "sorpresa".

● Un poco de puré de batatas con manteca (sin escatimar) y un poco de leche, en el fondo de una fuente resistente al calor. En el medio, pescado cocido (deshecho con las manos, para asegurarnos de que no tenga espinas) y más puré. Espolvorear todo con un poco de azúcar y al horno a que se dore...

Pollo con salsa blanca y brócoli

● Una salsa blanca simple, con leche entera y poca nuez moscada. Mientras está caliente, agregarle pollo deshilachado bien chiquito ya cocido. Les recomiendo que, cuando hiervan pollo, cocinen uno entero, hagan por un lado una sopa y separen en porciones la carne, congelando lo que no van a usar. Picar el brócoli crudo bien chiquito y agregar a la salsa blanca con el pollo. Probablemente necesite más líquido, por lo que se le puede agregar leche o caldo. Dejar que cocine bien y poner un poco de queso rallado. También se puede hacer con brócoli congelado, que ya viene precocido.

Puré de espinaca y choclo

● La proporción debería ser el doble de choclo (fresco) que de espinaca (fresca o congelada). En una ollita poner un chorrito de crema y/o queso blanco y el choclo rallado, cocinar unos minutos y por último agregar la espinaca, cocinada en muy poca agua y bien escurrida. Calentar y condimentar con sal y un poco de azúcar. Después procesar todo unos segundos.

Cuando son más grandes...

Si ya están en edad de participar, la pizza o el pan (las masas horneadas en general) son un buen comienzo. Y aunque hagan un desastre y ensucien todo, vale la pena que prueben y disfruten algo que hicieron ellos mismos. Nuestros cocineros invitados fueron Catalina y Misha (mis hermanos) y Lucía, la amiga de Cata. Eligieron preparar algo dulce. Al principio sólo obedecían instrucciones, pero cuando llegó el momento creativo de inventar, hacer formas y decorar, se involucraron más y se dejaron llevar por los sabores, olores y colores. Las recetas están escritas lo más simple y sintéticamente posible.

Muffins de chocolate

● Livianos y de puro chocolate, y muy fáciles de hacer. Sólo hay que mezclar por un lado los ingredientes secos (1 y 3/4 taza de harina 0000 tamizada, 1 pizca de sal, 2 cditas. de polvo leudante, 2 cdas. de cacao amargo, 3/4 taza de azúcar y 125 g de chips de chocolate o chocolate picado) y por otro los líquidos (3 huevos, 1/2 taza de leche y 1/4 taza de aceite de maíz). Mezclar todo bien, hasta formar una masa bastante líquida y chirle. Poner en moldes con pirotines (moldecitos de papel) y llevar al horno por 10 o 12 minutos.

● Cuando estén a temperatura ambiente, cubrir con una ganache. Para la ganache, hervir 150 ml de crema de leche y verterla sobre 75 g de chocolate semiamargo picado. Dejar reposar 2 minutos sin tocar y mezclar despacio. Agregar 1/2 cdta. de manteca, dejar enfriar y llevar a la heladera hasta que tome consistencia. También se puede agregar como relleno cortando los muffins por la mitad.

Cookies de choco y avena

● Batir 160 g de manteca pomada con 1/2 taza de azúcar blanca y 1/4 de taza de azúcar negra, hasta que se ponga bien blanda. Incorporar 2 huevos uno a uno hasta que se integren bien. Mezclar y tamizar 1 taza y 3/4 de harina 0000, 1/2 cdta. de bicarbonato de sodio, 2 cdtas. de polvo leudante, 50 g de cacao amargo y 1 pizca de sal, e incorporar al batido de manteca. Por último, agregar 1 taza de chips de chocolate blanco y 1/2 taza de avena arrollada. Enfriar la masa por 30 minutos envuelta en papel film en la heladera. Estirar con el palo de amasar. (Al principio les va a costar.) Cortar con cuchillo o cortante de formas y colocar en una asadera limpia. Enfriar por 15 minutos y cocinar en horno a 180º C entre 10 y 12 minutos. No deben secarse: en el centro deben quedar tiernas. Se pueden hacer rollos de masa envueltos en papel film o aluminio y congelar. Para cocinar se cortan en rodajas y se mandan directamente al horno.

Cookies de vainilla y naranja

● Batir 110 g de manteca pomada con 130 g azúcar rubia y 60 g de azúcar negra, hasta formar una mezcla cremosa de color claro. Agregar 1 huevo y 1 cda. de extracto de vainilla. Por último, con la ayuda de una cuchara de madera o con las manos, incorporar 1 taza de harina y 1/2 cda. de bicarbonato. Envolver en papel film y llevar a la heladera por 1 hora hasta que la masa esté bien fría. Hacer bolitas, ponerlas en un papel manteca o silicona y hornear hasta que empiecen a dorarse.

Palitos de queso y huevos

Estos palitos son muy fáciles y muy ricos, y no sólo para los chicos. El único problema es que no se puede dejar de comerlos.

● Arenar (trabajar con los dedos o en procesadora) 100 g de manteca fría, 200 g de harina, sal y pimienta. Agregar 150 g de queso duro o semiduro (cualquiera) rallado bien finito, 1 cda de crema y 1 huevo. Si es necesario, agua helada, pero sólo para poder formar la masa. Enfriar la masa por 20 minutos en la heladera. Formar palitos largos o cortos, pero no demasiado finos.

● Poner en una placa de horno limpia. Llevar a horno medio hasta que se doren. Esperar a que se enfríen para comerlos, porque si no van a resultar muy pesados.

- En una ollita poner agua. Cuando hierva, agregar los huevos y cocinar por 4 minutos. Retirar y con un cuchillo cortar la punta del huevo, ponerlo en una tacita de café o hueverita. Ahora sí, a mojar los palitos de queso en la yema...

Heladitos de sandía, frutilla y yogurt

- Procesar un trozo de sandía sin semillas y 1 taza de frutillas limpias con 1 cda. de azúcar. Poner en moldes (pueden ser vasitos de plástico). Llenar hasta más de la mitad con la fruta y llevar al freezer por 30 minutos o menos (hay que controlarlos). Cuando esté más espeso, pero no sólido, agregar 1 yogurt natural o de vainilla apenas batido y el palito. Revolver una vez. Volver al freezer y dejarlos por lo menos 2 horas.

Gelatina con tapioca

- Hervir agua y agregar la tapioca. Cocinar por 20 minutos y colar. También se pueden hacer heladitos, pero yo la prefiero como acompañante para la gelatina. Preparar la gelatina según las instrucciones, sólo que poniendo 1/4 menos de líquido al final. Puede ser la dulce saborizada o podemos hacer la gelatina sin sabor y agregarle 1 cda. de azúcar y, en vez de agua fría, jugo de frutas. Antes de poner en los moldes, mezclar la tapioca. Llevar a la heladera al menos por 3 horas. Si queremos una gelatina bien sólida para hacer cubitos o formas, usar la mitad de líquido en cada paso.

Alfajorcitos de brownie y helado

- Derretir 285 g de chocolate semiamargo con 225 g de manteca. Aparte batir 4 huevos con 225 g de azúcar hasta que quede una crema blanca. Mezclar con el chocolate y agregar 100 g de harina tamizada y colocar en una placa con papel manteca. Llevar al horno a 200º C por 12 a 15 minutos y luego bajar a 170º C por 5 minutos más. Cuando sale del horno, aplastar un poco mientras aún esté caliente. Congelar o enfriar bien para cortar. Cortar con los moldecitos que tengamos. Poner helado en el medio y formar sandwichs. Llevar con el molde al freezer por 10 minutos, sacar del molde y dejar el alfajorcito en un recipiente tapado, para que no absorba humedad. Se pueden bañar en chocolate antes de comer.

Sellados de banana

- Casi una maldad, de lo ricos que son... y encima, de lo más fáciles de hacer: pan lactal, bananas cortadas en rodajitas y dulce de leche. Todo, a la selladora de sandwichs. También se puede agregar dulce de leche o reemplazarlo por chocolate picado. La única precaución indispensable es dejarlos enfriar un poco antes de comerlos, porque el dulce de leche caliente quema mucho.

Es casi una condición humana: necesitamos compartir la mesa, la reunión alrededor de la comida y la bebida. Y aunque muchas veces, por comodidad, optamos por salir a un restaurante, sabemos que no es lo mismo: las reuniones en casa tienen algo especial.

Las recetas de este capítulo son variadas. Algunas cosas para hacer al aire libre, bocaditos individuales y tortas. Vamos a encontrar dos que son fáciles de servir, que vienen en porciones, y otras dos que se arman en el momento de comerlas, para que no ocupen lugar en la heladera y sean fáciles de transportar.

Si vamos a recibir gente, es normal que nos estresemos un poco. Eso está claro. Y cuanto más grande la reunión, mas estrés. Pero hay tips o consejos que pueden ayudar

- Seamos anfitriones: abramos la puerta de casa y recibamos a las visitas.
- Al hacer la lista de invitados, es bueno mezclar gente, así no escuchamos siempre las mismas conversaciones y anécdotas.
- Si son más de seis, evitemos los manteles blancos.
- Es mejor iluminar los ambientes con luces que no sean cenitales, como lámparas, veladores o velas, que crean más clima y hacen que todos nos veamos mejor.
- Improvisar. Tenemos que estar listos para cualquier eventualidad: más o menos gente, que falte algo a último momento. Nada sale perfecto.
- Sepamos que nos vamos a estresar, así que tomemos una copa de vino mientras terminamos los últimos detalles (pero nada más que una).
- Hagamos recetas que conozcamos, nunca algo por primera vez (y más todavía si los invitados no son amigos íntimos). Si es mucha gente, busquemos recetas simples (los invitados nos pueden estresar, pero la comida no).
- No manejemos más de tres fuegos a la vez, no es una buena idea. Concentremos nuestra atención lo más posible.
- No mucha variedad de vino: blanco y tinto. Las degustaciones no se hacen en la cena.
- Démonos tiempo para rituales personales: un baño reparador, vestirnos con tranquilidad, etcétera.

Si es una fiesta

- Mejor prevenir que curar. Tener muchas botellas de agua y tomar un vaso de agua por cada vaso de alcohol. Comer muchas frutas y vegetales durante el día. Muchas chicas tratan de no ingerir nada para no tener panza… ¡Error! Van a terminar borrachas y con más panza que antes, eso hace mal.

- Piensen en "deconstrucción", platos en los que todos pueden meter mano para servirse: ingredientes para sandwichs, tapas o bocados, dips y chips que puedan servirse y armarse en servilletas, un platito o con la mano. Aparte, este sistema hace que la gente hable, interactúe y se conozca.

- Presentemos a la gente entre sí.

- Servilletas de papel, muchas.

- Atar el destapador a algún lugar de la cocina, o comprar algunos baratos extras.

- Para mantener frías las bebidas, lo mejor es llenar con hielo la bañadera. Los tachos o bachas son más ortodoxos, pero después hay que sacar el agua (y de la bañadera, no).

- Preparar un bar para que la gente busque las bebidas en un solo lugar. Tengamos cortados limones, y preparado un bol grande con azúcar y algunos otros elementos. Y ojo con la variedad de alcoholes: generalmente lleva a la mezcla y después al caos. A veces (sólo a veces) menos es más.

- Saquemos todos los adornos chicos o muebles frágiles que estén dando vueltas. Hagamos espacio y dejemos libres superficies para apoyo.

- Un tacho grande de basura (o tachos, según la distribución de la casa) bien al alcance de todos.

- Varios rollos de papel bien a la vista para aprovisionar el baño.

- Tener a mano trapos limpios, escoba y pala, para emergencias de limpieza.

- Alquilar vasos, que son baratos, los traen y se los llevan. O comprar vasos de plástico, no tiene sentido que se rompan los de la casa (que siempre pasa).

- Los fumadores se juntan. Armar en el balcón o cerca de la ventana algún rincón con ceniceros, sillas, alguna vela aromatizada o flores. La gente se sienta a fumar y a contar chismes.

- La decoración hay que pensarla a cierta altura. Una vez que la sala esté llena de gente, sólo se verá de las cabezas hacia arriba.

- La música se elige antes. No hay nada más molesto que estar sin música mientras buscamos el disco que queremos.

- Por último, avisemos a los vecinos (incluso se les puede hacer una invitación de cortesía, para que no manden a la policía…).

Focaccias de morcilla y manzana

La verdad es que la morcilla, durante años, no sólo no me gustó, sino que no entendía cómo alguien podía comer "eso". No era el sabor lo que me desagradaba: era la idea misma, la morcilla en sí misma. La verdad es que su sabor, suave y dulzón, es muy agradable. Pero embutida, con esos trocitos misteriosos dentro... no me llamaba. Lo único que me gustaba era robarme ese pedacito que se sale por el extremo cuando la asamos, bien crocante. En busca de una solución a esto, las desarmé completamente para retirarles todos los pedacitos de lo que ahora sé qué es: cuero con grasa de chancho, y dejando sólo la pasta oscura, o sea la sangre. La extendí, previo condimento, sobre una masa, que puede ser la de las empanadas árabes o la de focaccia bien estirada.

146

- En una sartén con 2 o 3 cdas. de aceite de oliva, saltear 1/2 cebolla picada, sin dorarla. Reservar. En la misma sartén saltear 1 manzana pelada y cortada en cubos bien chiquitos. Reservar con la cebolla.

- Abrir unas morcillas (unos 500 g, preferentemente de la más dulce) y tirar la piel o tripa. Con los dedos, sacar todos los trozos de grasa grandes, dejando sólo la pasta oscura (sí, es sangre cocida, pero muy rica y muy nutritiva). Hay una frase que viene a colación: "Al que le guste el durazno, que se aguante la pelusa".

- Mezclar 2 o 3 ramitas de menta picada, 1 diente de ajo bien picado, la cebolla y la manzana salteadas, sal y pimienta.

- En otro bol mezclar las hojas de 1/2 atadito de perejil cortadas a mano, 3 ramas de verdeo (cortado bien finito), 1 ají en vinagre fileteado o picado y 2 cdas. de piñones tostados. Reservar.

- Hacer la masa según la receta elegida (véase Focaccia, pág. 50 o Empanada árabe, pág. 182). Estirar en círculos, poner en una placa con un poco de harina o aceite de oliva y extender una capa de la mezcla de la morcilla (de casi 1 cm) encima, dejando los bordes limpios. Pintar con aceite de oliva la masa de los bordes y hornear a 190º C hasta dorar.

- Servir con la ensaladita por arriba, condimentada con aceite de oliva. En horno de barro es como quedan más ricas.

Tarta mediterránea de atún

Esta tarta tiene muchos sabores fuertes y podría tenerlos aun más, siempre y cuando nos mantengamos dentro del Mediterráneo. Con berenjenas fritas o asadas, tomate fresco picado, morrones pelados, un poco de ajíes picantes, frutas secas, e igual funcionaría. Eso es lo genial de estos sabores: siempre están bien. Me encanta la empanada gallega, con masa tierna y dulce. Esta es una versión más cercana a los sabores de Medio Oriente.

- Pelar 2 cebollas y cortarlas en juliana fina. En una sartén con aceite de oliva a fuego muy bajo, cocinarlas revolviendo de vez en cuando. A los 10 minutos, agregar 2 dientes de ajo picado y pimienta a gusto. Cocinar 15 minutos más. De ser necesario, escurrir cuando esté tibio.
- Hidratar 6 tomates secos en agua caliente, escurrirlos y picarlos.
- Picar también 2 cebollas de verdeo, 50 g de aceitunas negras descarozadas (si son griegas, mejor), 2 cdas. de piñones, 2 cdas. de alcaparras y 3 cdas. de pasas de uva rubia.
- Mezclar todo en un bol con 2 latas de atún escurrido. Agregar 4 cdas. de perejil picado y las cebollas que confitamos.
- Cortar 3 huevos duros en trozos chicos. Deshacer o picar 200 g de queso feta. Se le puede agregar unas sardinas o anchoas picadas.
- Condimentar con más pimienta y agregar los huevos.
- En una placa poner papel manteca y enmantecarlo con manteca clarificada (resiste mayor temperatura y es más suave).
- Abrir la masa philo (en total, unos 500 o 600 g) y pintar entre hoja y hoja con la menor cantidad de manteca posible y usando un pincel blando, porque se rompe de nada, para formar dos tapas: una de 6 capas y otra de 4 o 5. Hay que mantener la masa siempre tapada con un trapo húmedo.
- Poner una de las tapas sobre el papel y colocar el relleno de modo parejo, y arriba, el queso feta.
- Tapar con la otra tapa y pintarla con manteca. Espolvorear con azúcar (a gusto) y 3 o 4 cdas. de semillas de amapola. Aplastar un poco con otra placa para que se afirme bien.

- Llevar a horno bien precalentado a 180° C y cocinar sólo hasta esté dorada, porque el relleno ya está cocido.
- Retirar y cortar en caliente.

Manteca clarificada

- En una olla caliente, derretir la manteca a fuego muy suave, sin tocarla.
- Desechar la espuma de la superficie con una cuchara y volcar en un bol el líquido transparente y amarillo (teniendo cuidado de no volcar también el suero del fondo, que se descarta).

Brochete de pollo con damascos

Esta es de esas recetas comodín, muy fáciles. En general las hago en la casa de otros, si prendieron la parrilla, porque llevan pocos ingredientes que solemos tener a mano.

Las carnes a la parrilla como el pollo (sobre todo sin piel) hay que condimentarlas o marinarlas; adobarlas para que tengan más sabor. A veces las hago chiquitas, para uno o dos bocados, si es un cóctel. Siempre que hagamos brochettes con palitos de madera, hay que humedecerlos en agua por 30 minutos para que no se quemen al cocinarlas y no se pegue la carne.

- Cortar 2 cuartos traseros de pollo sin piel ni huesos en pedazos parejos. Cortar 150 g de panceta (comprada en un solo pedazo) en trozos no más grandes que los de pollo. Si es panceta en fetas, podemos cortarlas en tiras y envolver con ellas los trozos de pollo.
- Cortar 2 cebollas medianas al medio y luego en cuatro, de tamaño parecido.

Intercalar en el palito de brochette: pollo, panceta y cebolla (empezando y terminando con pollo, así evitamos que se caiga la cebolla o la panceta).

- Condimentar con pimienta y grillar en la parrilla.
- En un bol mezclar 3 dientes de ajo picados bien chiquito, 4 cdas. de mermelada de damasco, 2 cdas. de tomillo picado y 3 cdas. de aceto, y con esta marinada ir pintando los trozos a medida que los vamos girando, unos 5 a 7 minutos de cada lado, repitiendo varias veces para lograr que se caramelicen bien.

Salsa de tomates quemados

Esta salsa acompaña cualquier carne a la parrilla, pescado, cordero o pollo.

- Colocar en la parrilla o grill 6 tomates enteros y 2 cebollas cortadas al medio y dejar que se les queme casi completamente la piel (tiene que quedar negra; si es a fuego directo, mejor). Los tomates se van a hacer rápidamente; las cebollas, no. Por eso conviene ponerlas primero y, cuando casi estén, entonces sumar los tomates. Si los chiles (2) son frescos, quemarlos un poco también. Si son secos, ponerlos en el bol donde van a ir los tomates calientes, así se hidratan.

- Dejar entibiar un poco y cortar todo bien pequeño, retirando cabitos, la piel de la cebolla, etc. Mezclar en un bol con el chile bien picado.
- Picar 2 dientes de ajo, 1 taza de perejil, 1/2 taza de cilantro, 1/2 taza de ciboulette, 1/2 taza de verdeo (sólo la parte verde), 3 cdas. de alcaparras, 1/2 taza de aceitunas verdes y 4 anchoas.
- Mezclar todo en el bol junto con el tomate, la cebolla y el chile, añadiendo 3 cdas. de azúcar negra, rubia o miel, 5 cdas. de vinagre de vino o aceto y el jugo de 1/2 limón y de 1/2 naranja. Corregir el condimento.
- Si se desea una salsa lisa, procesar.
- Mezclar bien y dejar reposar por 30 minutos. Esto hace que los sabores se unan y complementen. Se puede guardar en la heladera, pero es más rica si no está muy fría.

Salmón con pan de eneldo

La receta original de este pan es del chef Michelle Roux, pero al hacerla cambié algunos ingredientes, ya que las harinas latinas son diferentes. Es un pan blando, húmedo y muy sabroso. Es un plato alegre y festivo, y adoro el color que toma el salmón con la remolacha. Queda muy bien como entrada o en un brunch con huevos revueltos o pocheados y espárragos.

- Empezamos el pan como cualquier otro, mezclando en un bol 15 g de levadura con 1/4 taza de agua tibia y 1/2 cdta. de azúcar y dejando que espume unos 15 minutos.
- Mientras, picar muy finamente (o procesar) 1 cebolla chica.
- En un bol poner 600 g de harina con un poco de sal y polvo de hornear y hacer un hueco en el centro. En otro bol, mezclar 1 huevo, 250 g de ricota, 50 g de manteca, la cebolla picada, la levadura con el agua y 1 taza bien llena de eneldo picado. Mezclar con la harina con la mano abierta, hasta incorporarla. Si necesita más agua, agregar. Luego amasar por 10 minutos.
- Dividir la masa en dos y poner en moldes de budín enmantecados; tapar con papel film o aluminio y dejar levar por 1 hora.
- Retirar el papel, desgasificar la masa aplastándola un poco y cocinar en horno a 180º C hasta dorar. (Se puede hacer el día anterior o tener congelado.)
- Cortar el pan en rodajas y dorar un poco para servir con el salmón.
- Poner 1/2 penca feteada de salmón ahumado en una fuente forrada con papel film, rallar 3 remolachas y colocarlas arriba del pescado. Es parecido a lo que se hace con el gravadlax (que lleva un par de días, pero en este caso sólo se trata de dar un poco de color y sabor). Envolver con papel film y dejar en la heladera por una noche o algunas horas (cuanto más tiempo, más color).

150

Para pegar el salmón al pan, mezclar 4 cdas. de krein rallado con 1 taza de queso blanco, sal y 1 cda. de ciboulette picado.

Cubos de papas con ikura (huevas de salmón)

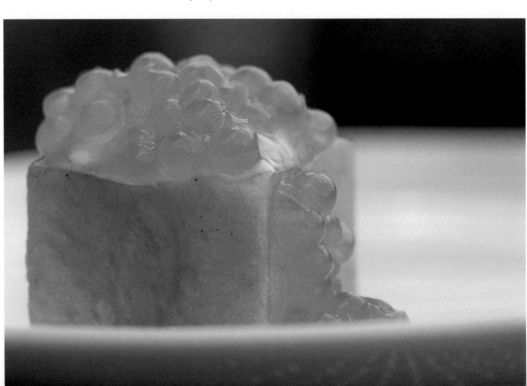

La idea de este plato, que formaba parte del menú de Club Zen, mi primer y más querido restaurante, era reunir en un solo bocado varios sabores, texturas y temperaturas, sobre la base de muy pocos ingredientes.

Lo difícil era conseguir que la papa estuviese suave y cremosa por dentro, y crocante por fuera. Después de varios intentos, llegamos a esta receta. Es para comer uno o dos bocados, porque hay que hacerlos en el momento, así que calculamos una papa por persona.

- Cocinar a partir de agua fría 4 papas medianas enteras y con piel. Mientras estén calientes (pero que no quemen), pelarlas y cortarlas de manera que queden cubos de 2,5 cm de cada lado, cortando todos los bordes redondos. Tienen que ser cubos. Con un sacabocado, como los que se usan para hacer las papas noisette, hacer un hueco en una de las caras.
- Una vez que las papas estén frías, ponerlas en un plato y guardar en el freezer (sin que se toquen entre sí).
- En el momento de comerlas, calentar aceite (siempre con fuego medio, nunca alto).
- Mientras, batir bien 2 cdas. de crema, mezclar con 1 cda. de queso blanco y 1 cda. de ciboulette picado y salpimentar. También se puede agregar un poco de wasabi en polvo.
- Cuando esté bien caliente el aceite, freír las papas en tandas. Sacarlas, salarlas apenas y rellenarles el hueco con la crema, coronando con 1 cda. de huevas de salmón bien frescas (en total, de 100 a 150 g).

Rico, rico, rico... una expresión un poco trillada, pero una "explosión de sabor" en la boca.

Higos

Una vez leí que comer un higo era como comer mil flores. En lugar de parecerme poético, me asusté un poco. Creo que, al que nunca probó un higo fresco, dulce y maduro, suave y crocante a la vez, deben parecerle un poco impresionantes a la vista. Mi abuelo tenía una higuera, de la que me caí a los 9 años, rompiéndome el brazo; supongo que de ahí el miedo. Los higos son deliciosos. No es para el que gustan de las cosas ricas, sino para el que aprecia las deliciosas.

Tarta de higos y queso azul

Para la masa se puede usar la procesadora; pero como tiene mucha crema y poca manteca, es más fácil de hacer a mano.
- Poner 50 g de manteca con 100 g de harina y 50 g de azúcar y romper con los dedos (rápido, con fuerza).
- Cuando la manteca empieza a ablandarse, agregar 1/2 taza de crema de leche fría. Amasar y estirar para poner en un molde grande o en individuales (para cócteles). Dejar descansar en la heladera durante 30 minutos. Sacar del frío, pinchar la masa con un tenedor y tapar con aluminio. Ponerle encima porotos o lentejas, y hornear a 170º C por unos 12 minutos.
- En un bol poner 350 g de queso crema (no el más espeso de todos; uno ligero y ácido queda mejor) y 1 huevo, y condimentar con sal, pimienta y tomillo.

- Cortar en gajos de 6 a 9 higos (según el tamaño) y acomodarlos en el molde ya tibio. Geométricos, en flor, erráticos... como quieran.
- Desgranar sobre los higos y la masa 100 g de queso azul; volcar encima la mezcla de queso crema y huevo y golpear para que se acomode.
- Espolvorear crumble (véase "Básicos", pág. 71) y cocinar en horno a 170º C hasta dorar.

Higos rellenos

- Cortar tantos higos como porciones se quieran, en forma de cruz desde el cabo hacia abajo, sin llegar a partirlos, sólo que se abran un poco.

- Rellenarlos con queso de cabra o brie (sin forzar, que se rompen) y envolverlos con jamón crudo cortado fino.
- Llevar a la parrilla o al horno fuerte, rociados con oliva. Se les puede poner, coronando el hueco, salvia o romero.
- Apenas se derrite el queso, se sirven con rúcula y tostadas.

Scones con higos y nueces

- Picar 1/2 taza de higos secos y 1/2 taza de nueces.

- En una procesadora, mezclar 3 tazas de harina, 1/2 cda. de polvo de hornear, 1/2 cda. de bicarbonato de sodio, sal y 1/2 taza de azúcar.

- Agregar 150 g de manteca fría en cubos y procesar hasta que parezca arena.

- Incorporar 1 taza de crema de leche y 1 cdita. de zest (ralladura) de naranja.

- Sacar de la máquina y amasar agregando los higos y las nueces picados.

- Cortar los scons (redondos, en triángulos, como se quiera) y ponerlos en una placa enmantecada.

- En un recipiente, mezclar especias con azúcar y espolvorear los scons. Hornear a 180º C entre 15 y 20 minutos.

Tapenade de higos

- Separar la mitad de la cantidad de higos secos (que no estén duros) y de piñones o nueces tostados (en total 1 taza de cada uno, más o menos), para que una parte quede procesada y la otra en trocitos.
- Procesar el resto junto con 2 o 3 anchoas, 6 aceitunas, 1 o 2 dientes de ajo (asados, crudos o al vapor), 1 ramita de tomillo y un poco de aceite de oliva. Lo ideal es hacerlo en un mortero, pero si no se está acostumbrado a hacerla, la mezcla resulta un poco patinosa.
- Mezclar los ingredientes picados y condimentar sólo con pimienta.

Es excelente para comer con quesos, panes, pollo, tomates, berenjenas fritas, sardinas, etcétera.

Torta gratinada de coco

Seguramente alguna vez escucharon a alguien decir "¡qué linda masa!" y lo único que veían era un bollo blancuzco inerte sobre una mesada. Es que las masas no son lindas por su vista, sino por su textura. Esta receta es de una linda masa, lo van a sentir en sus manos cuando la estén haciendo. Lo único que parece un poco complicado es el armado de la torta, pero facilita mucho las cosas a la hora de servirla: en porciones que podemos separar con la mano. Es ideal para tomar el té. Alguno fuerte y exótico, el coco lo va a acompañar bien.

- Para la masa, mezclar 1,5 cda. de levadura seca (o el doble de fresca) con 1/4 taza de agua y dejar leudar por 10 minutos en un lugar templado. Agregamos 1/4 taza de leche tibia y mezclar bien.

• Aparte procesar 300 g de harina con 125 g de manteca fría (bien fría), 1 cda. de azúcar, 1 cda. de zest de limón o naranja y sal.

• En la mesada o en un bol grande, formar una corona con la mezcla y en el centro poner 1 huevo con la leche y la levadura. Incorporar todo. Amasar unos 10 minutos; la masa va a estar suave. Colocar en un bol apenas aceitado o espolvoreado con harina, tapar y dejar leudar hasta que duplique su volumen; siempre en lugar cálido, no caliente.

• Mientras, disolver 2 cdas. de almidón de maíz en un chorrito de agua y mezclar con 400 ml de leche de coco y 2 cdas. de azúcar en una ollita (a fuego medio y revolviendo constantemente con cuchara de madera, hasta que espese y tome consistencia). Reservar.

• Una vez que la masa levó, desgasificarla y estirar con un palo de amasar formando un rectángulo de 35 por 25 cm aproximadamente (es importante que sea un rectángulo). Mentalmente dividirlo en tres partes y en la central, a lo largo, poner el relleno, 1/3 taza de azúcar rubia y 1 taza de coco rallado (si es fresco, mejor; si es seco, media taza).

• Doblar los dos extremos hacia el centro, de manera que queden tres capas superpuestas (como un hojaldre, si alguna vez hicieron uno).

• Estirar nuevamente hasta que tenga 3 mm de espesor y enrollar como si fuese una alfombra. Cortar en rodajas, de 1 o 2 cm de espesor y disponer los rollos en un molde enmantecado, uno al lado del otro, de manera que queden bien juntos, pero que no se aplasten. Dejar leudar otra vez hasta que dupliquen su volumen, tapados.

• Por último, colocar la leche de coco encima, golpear un poco la fuente contra la mesada para que se disperse bien entre la masa y llevar a horno a 200º C por 20 minutos. Es importante que el horno esté bien precalentado.

- Servir tibia o fría, preferiblemente el mismo día. Es más rica fresca, pero no hay que guardarla en la heladera. O, si lo hacemos, al sacarla hay que darle un golpe de calor para que la manteca de la masa ablande un poco.

 Al comprar leche de coco debemos prestar atención a dos factores: si es en lata o botella y la fecha de vencimiento. Si la compramos en botella de vidrio, hay que sacudirla para comprobar que no se separaron los sólidos y los líquidos.

Torta de brioche y manzanas

La torta es ideal para reuniones grandes, ya que viene en porciones fáciles de separar con la mano. También podemos rellenar las bolas de brioche con trufas de chocolate, banana y chocolate picado o con nueces picadas y miel. Después de hacerla una vez, se les van a ir ocurriendo muchas versiones. Esta receta me la pasó Geraldine, muy buena cocinera y repostera que trabajó conmigo mucho tiempo. Alguien a quien adoro.

- Comenzamos por el brioche, mezclando 40 g de levadura con 30 g de azúcar y 60 g de crema. Por otro lado, batir un poco 4 huevos con 3 yemas. Poner 600 g de harina con la mezcla de huevos en la procesadora o batidora con gancho. Accionar unos minutos. Agregar, sin detener la máquina, la mezcla de la levadura. Enseguida empezamos a agregar de a pedacitos 350 g de manteca pomada (blanda). También podemos hacer todo amasando a mano.
- Trabajar bien hasta que la masa se despegue del bol. Llevar a que leve, en heladera, hasta que duplique su volumen.
- Mientras leva, pelar 4 manzanas verdes, retirarles el centro y cortarlas en cubos no muy chicos.
- En un bol, mezclarlas con 3,5 cdas. de crema, 1/4 cda. de canela en polvo y 3,5 cdas. de azúcar. Se pueden usar más especias (como clavo de olor).

- Aparte, mezclar más azúcar con canela, derretir un poco de manteca extra y picar algunas nueces o almendras. Calentar el horno a 180º C.
- Para armar, que es lo que más tiempo lleva, enmantecar un molde y espolvorearlo con un poco del azúcar con canela (si queremos que quede más lisa, ponemos sólo manteca).
- Una vez que la masa duplicó su volumen, sacar del frío y tomar pequeñas porciones de masa.
- Rellenar cada una con la mayor cantidad posible de la mezcla de manzanas sin que se rompa la masa (igual se emparcha muy fácil) y, con las palmas, darles forma de bola.
- Cubrir la base con la primera capa de bolas, pintar con manteca y espolvorear con azúcar, canela y nueces picadas.
- Hacer otra capa de bolas igual a la primera y repetir: manteca, azúcar y nueces. Así hasta llenar el molde.
- Dejar que leve por otros 15 minutos y cocinar en el horno a 180°C, hasta que esté bien dorada y cocida la masa.
- Desmoldar y servir al derecho o invertida, espolvoreada con azúcar impalpable, helado, salsa de caramelo, etcétera.

Merengue de cacao, mousse y avellanas

Los merengues parecen difíciles, pero en realidad son fáciles, si tenemos batidora eléctrica.

• Para el merengue, batir 4 claras con 100 g de azúcar hasta espumar. Retirar las semillas de 1/2 chaucha de vainilla y agregar junto con 20 g de cacao amargo tamizado con otros 100 g de azúcar. Incorporar al batido cucharada a cucharada sin dejar de batir, hasta que estén brillantes. Disolver 1 cda. de fécula de maíz con 1 cda. de vinagre y agregar a las claras, batiendo. Colocar el merengue en una manga y formar una espiral en una placa con papel manteca enmantecado (también se puede hacer con espátula). Deberían quedar por lo menos 4 discos de merengue. Hornear a 140º C (si no tiene un mínimo tan bajo, abrir un poco la puerta del horno) por 2 horas.

• Apagar y dejar que enfríe dentro.

• Comenzar el relleno haciendo un caramelo con 150 g de azúcar, a fuego bajo. Cuando esté listo, agregar 150 g de avellanas. Volcar la mezcla caliente sobre un papel o mesada de mármol aceitada y dejar enfriar. Una vez frío, quebrar y picar bien chico sobre una tabla.

• Seguir con la preparación de la mousse derritiendo a baño maría 180 g de chocolate amargo con 50 g de manteca. Lo único importante a tener en cuenta es que el fondo del bol no debe estar en contacto con el agua caliente. Mientras, hacer un merengue (colocando 70 g de azúcar y 2 claras en un bol metálico) y llevar sobre la hornalla a fuego bajo y a distancia prudencial de la llama, batiendo constantemente (cuidando de que no se cocinen las claras) hasta que el azúcar se disuelva. Al tocarlo tiene que estar tibio pero no caliente. Una vez disuelto el azúcar, retirar del calor y batir hasta que tome consistencia y se forme el merengue. Va a quedar brilloso y muy firme. Sacar del calor el chocolate ya derretido con la manteca y dejar que entibie un poco. Agregar 2 yemas y mezclar.

• Incorporar 50 g de crema semibatida. Colocamos 1/3 del merengue y mezclamos. Finalmente, agregar el resto del merengue y con movimientos envolventes incorporar hasta que no se vean más manchas blancas. Tapar con papel film y llevar a la heladera por un mínimo de 2 horas.

• Para armar: fijar la base del merengue con un poco de nutella y apenas pincelar por arriba. Colocar una capa de mousse, espolvorear con las avellanas y poner otra capa de merengue. Seguir con capas de nutella, mousse y avellanas, hasta terminar. La última capa de merengue cubrirla con una lluvia de cacao amargo (con la ayuda de un tamizador o colador). Para cortar el dulce, se puede acompañar la torta con un bol de frutillas o frambuesas.

Torta crocante de chocolate blanco y frutas

Cuando hay una reunión en casa, donde tengo una heladera grande pero hogareña, a veces hay que elegir entre dejar la bebida o la torta fuera, porque no entra todo. Esta torta es para esos momentos. La tenemos desarmada hasta el momento de servir. Así la vamos a comer muy crocante y fresca. Y no hay que preocuparse por cómo cortarla, que es lo primero que se preguntan cuando la ven. Se rompe con una cuchara grande y se sirve sin más preámbulo en los platos. De todas maneras, no va a durar mucho...

- Primero hacer la crema, así se refrigera bien. Picar 200 g de chocolate blanco y derretir a baño maría. Dejar que baje un poco la temperatura y mezclar con 400 g de yogurt natural. Mezclar primero una parte para igualar densidades y luego el resto. Enfriar por lo menos 30 minutos.

- Se necesitan dos placas de horno de tamaño similar y papel manteca.

- Poner una capa de masa philo (en total unos 400 g) y con un pincel colocar una capa muy fina de manteca clarificada derretida. Ir sumando capas hasta llegar a 5.

- Dar vuelta la placa y, del lado de abajo, poner papel manteca, la masa, otra vez papel manteca, y la otra placa con la base apoyada sobre el papel. La masa va a quedar aprisionada como en un sandwich.

- Llevar al horno a 180º C hasta que dore y dejar enfriar. Repetir hasta terminar la masa.

- Cortar 200 g de frutillas, moras o frambuesas, 150 g de arándanos, 1 mango grande o 2 chicos (o cualquier otra fruta), lavados o pelados.

- A la hora del armado, siempre se pone sobre la fuente un poco de la crema de chocolate, para que no patine.

- Colocar una capa de masa philo (si no entra, romperla), crema de chocolate, un poco de la fruta y un poco de las almendras. Se pueden poner algunos trocitos de merengue rotos, pero es opcional. Seguir haciendo pisos, pero achicando el tamaño de las capas de masa philo, para ayudar al equilibrio.

- Finalmente, decorar con hojas de menta y espolvorear con mucha azúcar impalpable y almendras fileteadas (opcional también).

Hay que comerla enseguida, para que la masa esté bien crocante y la crema bien fría.

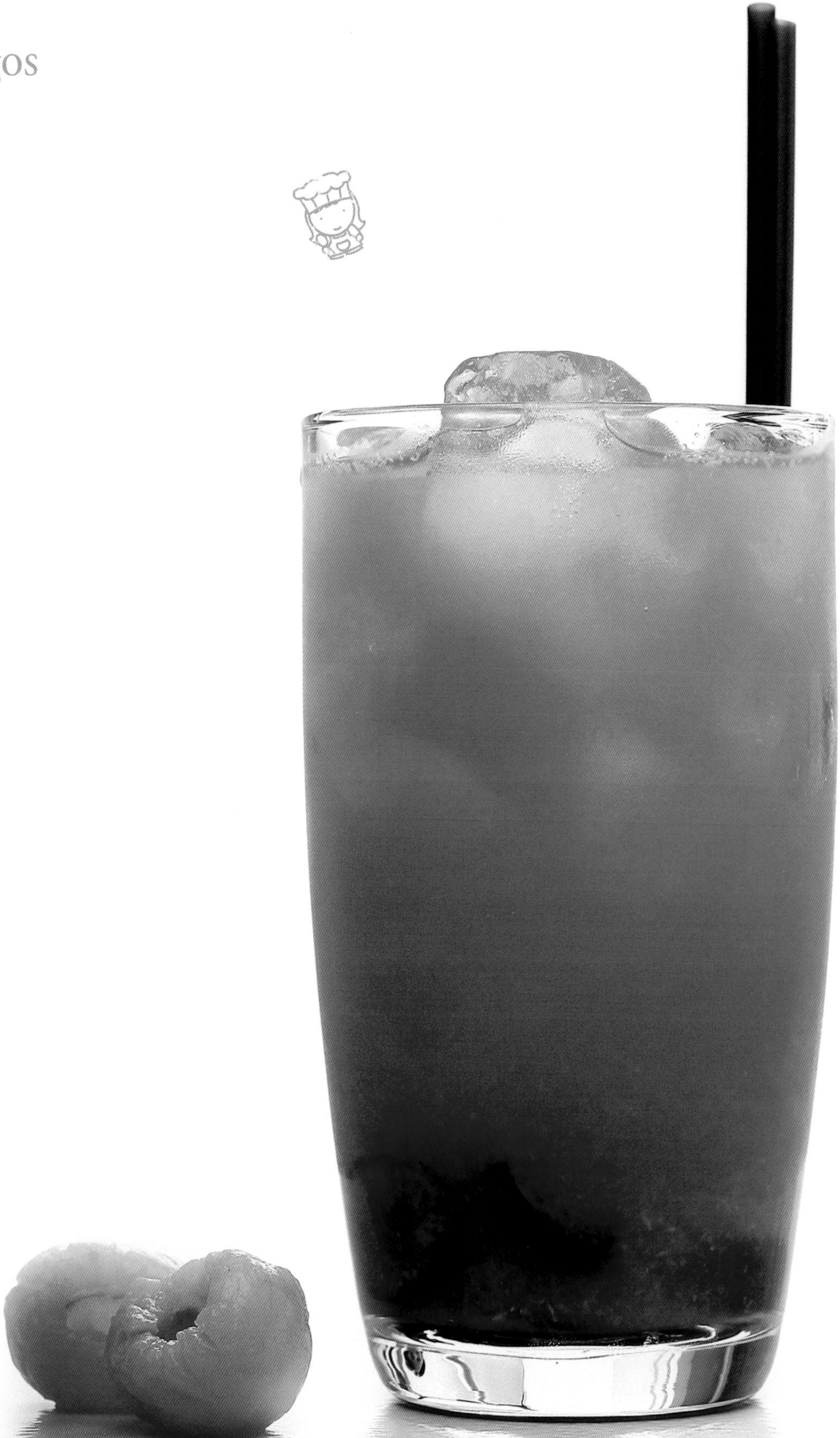

Aperitivos

Aperitivos: sinónimo de vida holgada. Distinguen la rutina del ocio. El horario ideal es el atardecer, antes de la cena, lo que los ingleses llaman "sundowner" –una palabra que me encanta.

Con cachaça:

• Hacer 10 onzas de té early grey o similar con tiempo para que se enfríe. A 8 onzas de cachaça, agregarles 2 onzas de Gran Marnier o Cointreau, 3 onzas de pulpa de maracuyá, 4 onzas de almíbar, el té frío, rodajas de limón, lima y frutillas y menta fresca. Poner hielo y servir en una jarra. Es un trago ideal para hacerse el espléndido en verano.

• Bar de caipis: poner en bols fruta cortada en cubos chicos: limón, frutilla, naranjas, kiwis, sandía, melón, mango, etc. En otro bol: azúcar o una botellita con almíbar, la hielera, un pisón de mortero y la botella de cachaça o vodka. Hacer un self-service de caipirinhas o caipiroscas.

Con pisco

• Pelar (opcional) y licuar 1 onza de ciruelas frescas sin carozo. Aplastar 2 gajos de lima en la coctelera. Agregar 2 onzas de pisco Acholado (u otro), un chorrito (dash) de licor de manzana verde, la pulpa de las ciruelas y un dash de almíbar. Ponerle hielo, batirlo con ganas y colarlo. Servirlo en una copa de Martini previamente enfriada.

Para enfriar copas, sí o sí: ponerlas un rato en el congelador o agregarles hielo picado antes de usarlas. Es fundamental hacerlo, porque los tragos en copas de Martini no llevan hielo, pero son en general fuertes y se deben tomar bien fríos.

Con tequila

• Machacar 2 gajos de lima en la coctelera. Agregar 2 onzas de tequila reposado y 1 dash de cherry (licor danés con base de brandy y cerezas) o de licor crema de cassis. Licuar 1 rodaja de melón e incorporar junto con 1 dash de almíbar. Batir enérgicamente. Servir en un vaso de trago largo o highball. Decorar con 3 frambuesas frescas.

Margarita

• Pasar 1 gajo de lima por el borde de la copa y apoyarla sobre un platito con sal, para que ésta se le pegue. Poner hielo en una coctelera o blender hasta 1/4 de su capacidad. Si se lo va a hacer en licuadora, es mejor ponerle un poco más de hielo para que quede frozen. Agregar 2 onzas de tequila blanco, 1/2 onza de triple sec (preferentemente Cointreau) y casi 1 onza de jugo de lima (25 ml). Agitar bien hasta que la coctelera esté bien fría o hasta que se desgrane todo el hielo (si es en licuadora). Filtrar el cóctel sobre la copa sin mojar los bordes para no arruinar la decoración.

Con vodka

● Procesar 2 onzas de lychees, frescos o de lata con un poco de su almíbar. Descarozar 4 cerezas, aplastarlas apenas y mezclarlas con 1 dash de almíbar en la coctelera. (El color de la fruta es tan intenso que parecerá artificial, pero no lo es.) Agregar 2 onzas de vodka, 1 onza de sake y la pulpa de lychees. Ponerle hielo y batirlo bien. Agregar un poco de soda. Servirlo en un vaso de trago largo.

El lychee es una fruta de verano, que se consigue en lata en supermercados orientales, muy rica para comer bien fría.

Dry martini

Se puede hacer con gin o vodka, depende de gustos y cantidades. Generalmente se toma uno solo, pero si van a repetir es mejor usar vodka (será mucho más amable al día siguiente).

● Refrescar bien la copa con hielo (cubos grandes, importante) y agua. Poner hielos en 1 vaso mezclador (o 1 vaso grande, de más de 500 cc), agregar 1 onza de dry martini (vermouth seco) y remover enérgicamente, empapando los hielos bien para que tomen el sabor y el aroma del martini. Si gustan de los tragos bien secos y fuertes, descartar todo el martini sin derramar los hielos saborizados. Si no, dejar un poco de martini en el vaso y agregar 2 onzas de vodka o gin (volver a remover enérgica y rápidamente para que no se agüe la mezcla).

● Sacar el agua y el hielo de la copa y agitarla para que no le queden gotas. Servir la mezcla ayudándose con una cuchara larga o un strainer para que no caiga hielo.

● Agregar dos aceitunas en un escarbadientes y, por último hacer un zest de limón o lima por arriba de la copa tratando de que el spray que libera quede sobre el trago (así se terminará de redondear el aroma).

Tomar el trago de a sorbos, sin dejar que se caliente.

Bloody Mary

El mejor compañero de la resaca. Pero tiene mucho que ofrecer por sí mismo también. La preparación de trago más parecida a cocinar, ya que los sabores deben estar igual de balanceados que en una ensalada de tomate.

● Poner en un vaso mezclador, jarra o vaso grande (también se puede hacer en coctelera) 2 a 4 hielos grandes (según cuán frío se lo quiera; yo uso 3 o 4). Agregar 1 onza y 1/2 de vodka, 10 cc de jugó de limón (1 cda. de té), 4 gotas de tabasco (con el picante es mejor quedarse corto que pasarse de largo y sufrir), 8 gotas de salsa inglesa, sal de apio a gusto (se le puede agregar sal común ¿alguna vez comieron una ensalada de tomates sin sal?), 1 o 2 vueltas de pimienta negra molida, y, por último, 2 onzas de jugo de tomate, mejor si frío. Remover durante un minuto y serví filtrado (sin hielo) en el vaso. Hay quienes gustan de dejarle los hielos; yo prefiero refrescar bien la mezcla y descartarlos. Decorar con 1 tallo de apio limpio y fresco.

Con ron

● Cortar 2 limas y 1 damasco en gajos. Agregarles 2 cdas. de azúcar negra y aplastar todo. Añadir 2 onzas de ron dorado y 1/2 onza de Cynar. Ponerle hielo, batirlo bien y servirlo.

El Cynar es un aperitivo de origen italiano, hecho con alcachofas y hierbas aromáticas.

Mojito

- Poner el jugo de una lima madura (si no, azucararlo), 1 1/2 cda. de azúcar moreno o blanco y las hojas de 2 ramitas de menta bien machacadas en el mortero para que libere todo su sabor y aroma. Agregar hielo y serví 1,5 onza, 50 cc de ron blanco. Poner 1 ramita de menta limpia a lo largo de un vaso de trago largo y llenar el resto con agua con gas. Con una cuchara larga, que llegue hasta el fondo, remover suavemente siguiendo los bordes del vaso para que el jugo de lima, la menta machacada y el azúcar se mezclen con el ron y la soda sin enturbiar el trago. Acomodar la ramita que está dentro del vaso, para que quede vertical.

Con caña

- Empezar batiendo 1 bochita de helado de canela o chocolate, 1 de helado de frambuesa y 1 de helado de crema, para ablandarlo (como un milkshake). Agregar 2 onzas de caña o cachaça, 1 pocillo de café fuerte, almíbar y mucho hielo. Batir bien y colarlo (para que no caigan los pedazos de hielo). Servirlo en un vaso con hielo, terminarlo con soda, decorarlo con anís y espolvorearlo con canela. Si no consiguen helado de canela, mezclar canela en polvo con helado de crema o vainilla. Este trago se puede hacer con cualquier destilado.

Para el almíbar: poner la misma cantidad de agua y azúcar con las especias y dejar que hierva suave por 8 minutos.

Mezclas simples

Generalmente, todas las que son a base de una bebida alcohólica y jugo de fruta o gaseosa tienen la misma proporción. Siempre ponemos hielo hasta la mitad de un vaso de trago largo (si es grande mejor, así no agua el trago), 50 cc de bebida alcohólica y el resto de jugo o gaseosa. Cuanto más frescas y maduras las frutas, mejor será el trago. Y nada de jugos envasados...

Las que más me gustan:

Bourbon, Ginger Ale con una rodaja de lima
(si no consiguen Ginger Ale, prueben con una gaseosa de lima-limón)

Bourbon Cola

Vodka y jugo de pomelo (se le puede poner mitad pomelo y mitad cranberry)

Las medidas expresadas en el libro están en gramos, salvo en esta sección,
porque tradicionalmente los tragos se miden en onzas.
1 onza = 30 cc = 300 ml = 2/3 vasos de shot aproximadamente

165

En el mundo

Disfruto comer, cocinar y viajar. Agradezco todos los días el hecho de poder vivir de lo que me gusta. A través de la comida pude conocer gente, culturas, sabores, música, lugares y rincones del mundo que ni siquiera imaginaba. Pude descubrir qué come la gente, por qué, en dónde, con quién, cuándo, cómo lo prepara, qué gusto tienen las cosas. En la ruta hay que estar atento, preguntar, entender, aprender. Y la única forma de hacerlo es siempre con respeto por el otro.

Viajando se aprende a tratar con las fronteras –cada una tiene sus reglas– y a conseguir lo básico –comida, bebida, una farmacia– más allá del contexto. Se aprenden cosas sencillas pero fundamentales: a saludar y a agradecer. Lo que uno asimila en un lugar, seguro le va a servir en otro.

Suena a cliché, pero es verdad: cuanto más uno viaja y conoce, más se da cuenta de lo poco que sabe. Creemos que porque vemos imágenes por la tele o por internet estamos conectados. Pero la verdad es que no tenemos ni idea de cómo es un lugar hasta que lo conocemos.

Por suerte, desde muy chica me acostumbraron a lo desconocido. Con mi papá y mi mamá viajé mucho. Por todo el Brasil, por África, por Nueva York, por Chile... Entre los dos y los siete años viví en Venezuela, y viajé sola en avión desde los tres (padres modernos).

No a todos les gusta desplazarse y adentrarse en culturas y geografías desconocidas. Algunos prefieren la seguridad de lo familiar. Otros son más nómades, e inquietos. Y en el medio estamos quienes disfrutamos de ambas cosas: nómades parciales que vamos, descubrimos, conocemos y volvemos (probablemente tenga que ver con la sangre inmigrante). Y mi impresión es que cada vez somos más los que practicamos esa dinámica de viajes.

Con respecto a la cocina, si cuando uno viaja vuelve siempre un poco cambiado imaginemos lo que les pasa a la comida o las recetas. Como decía Jean François Revel, las recetas viajan "mal", eso es seguro. Porque así como algunos productos no duran o no resisten el cambio de clima, lo mismo pasa con los platos. Por eso, si la receta de un libro no queda bien, lo más probable es que los ingredientes sean muy distintos y necesitemos cambiar algunas proporciones o directamente reemplazarlos.

La geografía define a las cocinas: el mar, las montañas, el calor, el frío, los bosques, la falta de agua. Y es también la geografía lo que determina si una receta puede trasladarse, y, de ser posible, cómo se va a adaptar a su nuevo hogar. En ese sentido, conocer el sabor de los productos en su lugar de origen ayuda a interpretar un plato en otro lado, ayuda a su "traducción". Las cocinas tienen que ver con regiones más que con países (una montaña o un río afectan o modifican más que una línea punteada en un mapa). Y es ahí en donde no podemos decir, por ejemplo: "la cocina polaca no me gusta", porque seríamos demasiado relativos. Hay cocinas y culturas que están lejos en el mapa, pero que tienen geografías similares y se parecen o tiene puntos en común. En casi todas encontramos salchichas, empanadas, panes chatos, guisos de cordero y sopas de pollo (se forman lo que yo llamo "cadenas de sabores"). Por eso, muchos platos pudieron viajar y trasladarse, porque, cuando se comprenden sus principios básicos, pueden ser adaptados.

Quienes más viajaron fueron los aventureros, los piratas, los comerciantes, los estudiantes y los cocineros. Gente que buscaba lo nuevo o el intercambio y que se trasladaba por su propia voluntad. Porque sabemos que los cambios más drásticos en las culturas los produjeron los desplazamientos masivos de esclavos e inmigrantes. Y con ellos viajaron, obvio que a la fuerza, sus cocinas, que se adaptaron a lo que encontraban.

En todas las regiones encontramos algo en común. Cuando el clima es muy cálido, la comida suele ser más picante o especiada para lograr que la temperatura corporal suba, y de esa manera (achicando la amplitud térmica) sentir menos el calor extremo del ambiente, mientras que en sitios en donde el frío es intenso abundan las conservas (que es la manera de disponer de vegetales fuera de temporada) y las cocciones suelen ser más prolongadas y calóricas porque el fuego es el mismo que se usa para calefaccionar los ambientes. También son más extendidas las cocciones en zonas de poca agua, en donde generalmente se come con la mano, ya que se lava lo indispensable, y casi no se consumen vegetales crudos. En las islas o ciudades de costa calurosa, se consumen muchas frutas y verduras así como productos marinos. Si hay montañas o mucha agua, seguro hay arroz. Donde hay planicies y algo de riego, trigo. En América, mucho maíz. De esta manera podemos reconocer características distintivas que nos ayudan a entender la génesis y los porqués de las recetas, para, sólo entonces, atrevernos a modificarlas.

Más allá de las geografías, existen razones externas –y extremas– generadas por el propio hombre que modifican las cocinas regionales. Las guerras, las invasiones, los movimientos de refugiados son situaciones que, ante la necesidad de cocinar con lo que hay y adoptar como propio lo ajeno, reconfiguran el mapa de la cocina. Así se crearon algunos de los grandes clásicos de la cocina. El sincretismo japonés, por ejemplo, tuvo su origen en un movimiento como este.

Otros clásicos fueron creaciones que ahora llamamos *fusión*. Pero como dice Woody Allen: "La comedia no es otra cosa que la tragedia más un poco de tiempo". En el caso de la comida, cuando una combinación soporta el paso del tiempo, ya es un clásico. Es lo que pasa, por ejemplo, con las berenjenas a la parmesana, la pizza, la mousse de chocolate, los fish & chips, la cocina creole, el tempura y muchas comidas más. Dentro de unos años, veremos qué es lo que queda de todo lo que comemos por estos días.

Las recetas que están en este capítulo fueron recopiladas muy poco a poco. La fuente original, en general, fueron madres, señoras, abuelas o amigos. Se trata de platos que se hacen en casas, comunes, de todos los días. Caseros, familiares, simples pero lejanos. Son las versiones que quedaron después de hacerlos varias veces con los productos que tenemos cerca. Y de nuevo, repito: no son más que "una versión" en la que intenté que la fuerza de los sabores originales permanezca.

 Algunos consejos para el nómade gastronómico

Hay que adaptarse a los horarios, las modalidades y las formas del lugar. Si se come con la mano, comemos con la mano, si es con palitos, con palitos, si es en el piso, en el piso. Tenemos que vencer los prejuicios. Hay que evitar de lleno los lugares para turistas. Tomar siempre agua mineral. Los mercados son el lugar ideal para empezar, porque vemos la materia prima, están los puestos de comida (hay que ir siempre a los más concurridos), y son el lugar indicado para preguntar los secretos a las personas que veamos con más experiencia (en general señoras o puesteros mayores).

Visitar y conocer las influencias. Nueva York, Londres, París y otras ciudades cosmopolitas no tendrían su fama sin el aporte de los extranjeros. En estos centros urbanos podemos encontrar comunidades en donde conviven distintas generaciones de inmigrantes, desde recién llegados, hasta sus nietos. Podemos ver a hindúes o italianos atendiendo los puestos callejeros, con sus sabores intactos, aún sin mestizarse. Pero también tenemos lugares como San Pablo, en donde la comunidad japonesa se asentó hace años y supo mezclar sus recetas con los ingredientes y gustos locales.

La cocina combina estados de ánimo, técnicas, el aprovechamiento de recursos, identidades y pertenencias. La cocina es un acto de comunicación primitivo, básico, derriba barreras culturales e idiomáticas. Muchas veces compartí e intercambié horas, recetas y comidas, momentos gastronómicos y de intercambio sin hablar una sola palabra en el mismo idioma. El amor por la comida nos une, nos identifica, y a la vez nos diferencia.

Chirashi sushi

Cuando empecé a trabajar en un restaurante japonés del centro de Buenos Aires, al mediodía trabajaba conmigo Elena, una señora japonesa. Además de cuidarnos a todos como una mamá, fue la primera que me hizo probar esta versión del chirashi, bastante menos ortodoxa que la que se encuentra normalmente, pero, en mi opinión, mucho más rica. Es ideal para hacer en casa, ya que tenemos los sabores del sushi, pero no el estrés de hacer los rollos, humedecer el alga, etc.

- Lavar bien 2 tazas de arroz para sushi, sin fregarlo, hasta que el agua deje de salir de color lechoso, colar y dejar reposar al menos 15 minutos.
- Picar en cubos chicos 1 pepino kiuri (sin semillas). Tostar y picar un poco de verdeo (negui) bien finito y dejarlo en agua fría en la heladera.
- Poner el arroz en una cacerola gruesa con tapa (que cierre bien, para que no se escape el vapor) y, apoyando la mano sobre el arroz, poner agua hasta que apenas nos tape los nudillos. (Esto también me lo enseñó Elena, y no falla.) Tapar, llevar a fuego máximo por 5 minutos y bajar al mínimo por 15 más (tiene que ser muy, muy bajo el fuego).

- Pasado ese tiempo, apagar y, sin destapar, dejarlo reposar otros 15 minutos. Si al destapar el arroz brilla un poco, salió bien. Si no, a no frustrarse y empezar de nuevo, que puede ser por varias razones y no nuestra culpa.
- Volcar el arroz sobre una fuente amplia y poner una tacita de café de vinagre condimentado (con sal y azúcar).
- Revolver de manera envolvente y con cuidado de no aplastar. Dejar en un lugar ventilado y volver a revolver de vez en cuando. Cuando enfríe, tapar con un trapo húmedo.
- Con una tijera cortar tiritas de 1 hoja de algas nori; si no está crocante y seca, no usarla (pierde sentido en el plato). Picar el jengibre en pickle (gari; siempre tengo en la heladera para cuando pido sushi por teléfono).
- Lo último que se corta es el pescado que se haya elegido (salmón, atún rojo, besugo, etc.), en cubitos chicos lo más prolijamente posible, para lo cual es importante que esté bien frío. Cortar del mismo modo 1 palta.
- En bols individuales poner una capa de arroz, untarla con wasabi (cada cual lo que aguante). Mezclar una parte del verdeo con el pescado y disponer todos los ingredientes sobre el arroz. Espolvorear con el sésamo tostado (gomá) y comer con salsa de soja y unas gotas de limón.

Vinagre condimentado para sushi

- Calentar 500 g de vinagre blanco junto con 90 g de sal y 250 g de azúcar (sólo hasta que disuelvan). Dejar enfriar. Se puede conservar en una botella o frasco y usar en ensaladas, marinadas, etc.

Salteado chino de cordero

La cocina china que conocemos en general es la de Cantón, en el sudeste, de sabores agridulces, salsas rojas, frituras, muchos vegetales, combinaciones de mariscos y carnes con influencias externas, gracias al puerto. Pero China tiene una de las cocinas más ricas, tan amplia y variada como su extensa geografía. En el norte, donde en algún momento reinaron los mongoles (nómades por naturaleza), los platos son a base de cordero, patos cuando es época (el famoso pato Pekín), conservas, ajos, cebollas, etc. Todos productos que duran, resisten el frío y son relativamente fáciles de transportar. Este plato resume un poco esos sabores.

- Cocinar el arroz de la misma manera que el del sushi (receta del chirashi), pero sin condimentarlo al final con el vinagre.
- Cortar 500 g de pata, paleta o recortes de cordero en láminas bien finas, del tamaño de un bocado, con un cuchillo afilado y fino.
- Poner la carne en un bol con 1/2 taza de aceite mezcla o girasol (no, oliva no es lo mismo) y 1 cda. de aceite de sésamo.
- Mezclar bien y guardarlo en la heladera, mientras se sigue con el resto.
- Lavar bien 3 puerros medianos y cortarlos al sesgo en juliana fina. Picar bien ajo suficiente como para llenar 4 cdas.
- En una taza o bol mezclar 1/2 taza de salsa de soja, 3 cdas. de vino blanco, 2 cdas. de azúcar (estos últimos pue-

den ser reemplazados por mirim), 2 o 3 cdas. de caldo, 2 cdas. de fécula de maíz y 2 cdas. de miso. Mezclar hasta disolver bien.

- Poner el wok al fuego y dejar que esté bien, pero bien caliente.

Hay que tener todos los ingredientes a mano, ya que sólo va a llevar muy pocos minutos. Así que es mejor hacerlo en dos tandas para que salga bien.

- Poner el cordero y moverlo sin parar haciéndolo subir a las paredes del wok, para que no quede abajo y se hierva. A los pocos segundos, agregar el puerro y los ajos. Seguir moviendo hacia los bordes, para que nada se queme. Cuando el puerro se haya ablandado un poco, agregar la salsa (siempre dejándola caer por las paredes del wok, para que llegue caliente abajo). Seguir moviendo hasta que espese un poco.
- Servir con arroz o fideos y semillas de sésamo tostadas.

Pastelas de papa, berenjenas y tomate

En el viaje a Marruecos (que fue unos de los que más ricos, inspiradores e interesantes que he hecho) probé distintos sabores que quedaron en mi memoria. La costumbre es comer de un plato comunitario. Y antes, muchos pequeños platitos de ensaladas, bocados, masas rellenas y snacks como aceitunas y frutas secas. Todos juntos, compartiendo. Como casi toda la comida del Mediterráneo, todo queda bien con todo. Recordando los diferentes lugares que conocí durante el viaje, probé esta mezcla de sabores muy simples y que funcionan perfectamente juntos o separados, dentro de otros platos. Por eso las recetas van separadas y forman un plato...

Tomates dulces

• Con una cuchara, sacarles las semillas a 8 tomates maduros pelados y cortados al medio. Cocinarlos en una olla de barro o hierro con 2 cdas. de aceite, un poquito de coriandro, sal y 2 o 3 cdas. de azúcar, por media hora a fuego medio (hasta que no tengan líquido). Agregar la canela, pimienta y 1 cda. de miel (o 1/2, dependiendo de los tomates). Probar antes de terminar de condimentar.

Pastelas de papa

• Pelar 1 k de papas y cortarlas al medio. Ponerlas a hervir con 4 dientes de ajo, por 30 minutos. Con ambos hacer un puré, mientras estén calientes. Agregar 1/3 taza de perejil y 1/3 taza de cilantro picados (puede parecer mucho, pero está bien), 1/2 cda. de comino, 1 cda. de pimentón y sal. Agregar 4 huevos batidos, mezclar bien y dejar enfriar un rato.

• Dar forma con las manos, pasar por 1 taza de polenta o harina de maíz, y volver al frío.

• Dorarlas en aceite de oliva, en una sartén bien gruesa. Recalentarlas en horno fuerte.

Berenjenas con almendras

• La mezcla es muy básica pero tan inesperada que sorprende al paladar. Es la sorpresa del plato; hay que poner sólo una o dos. Cortar 3 berenjenas parejas y no muy gordas en láminas a lo largo bien finas. Blanquear 1 taza de almendras por 4 minutos y pelarlas con paciencia y la ayuda de un trapo, frotándolas con fuerza. Ponerlas en una fuente y tostarlas en horno bajo hasta que apenas tomen un poco de color, apenas. Procesar las almendras. (Si les dan el brazo y las ganas, háganlo todo en el mortero.) Cuando están hechas polvo, agregar un chorro de oliva hasta que se forme una pasta cremosa pero consistente. Seguir procesando y agregar una cucharada grande de miel. Si es muy fuerte, un poco menos. Calentar una sartén, agregarle aceite de oliva y aceite común, (tiene que haber al menos 2 cm) y freír las berenjenas (de a poca cantidad), hasta que tomen color. Secarlas sobre papel. Untarlas o rellenarlas con un poco de la pasta, según la consistencia. Yo, usando las mismas proporciones, llegué a densidades muy diferentes en distintos lugares. A la hora de servir, ponerle unos granitos de sal por arriba.

Ensalada de tomates cherry y cilantro

- Dentro de un bol mezclar tomates con un poco de oliva, 1 o 2 dientes de ajo bien picados, sal y pimienta.
- Pasarlos a una bandeja de horno, no muy apretados y rociarlos con un poco de azúcar. Llevar a un horno muy fuerte (10 a 15 minutos) Si se dispone de grill, excelente. Y si es de barro, mejor todavía. Sacar, dejar entibiar y mezclar a último momento con muchas hojas de cilantro enteras y frescas.

Pan de Naan

Muchas de las comidas que más me gustan se comen con las manos; son las cocinas más antiguas. Y por algún motivo, creo que se disfrutan más; uno se conecta mejor con lo que está comiendo y le siente más sabor. Además tiene lógica: donde el agua no sobra, lavar cubiertos no tiene sentido; los cubiertos son el pan y está para comer, aprovechando así hasta la última gota de jugo, salsa, etc. De ahí, quizá, nos quedó la costumbre de mojar el pan en la salsa. Para acompañar curries, tanto vegetarianos como de cordero, junto con ensalada fresca de cebollas, naranjas y cilantro, arroz basmati o puré de papas y coliflor con manteca y semillas de hinojo.

- Primero, tamizar 3 tazas de harina leudante con sal y 1/2 cdta. de bicarbonato. Agregar 2 cdas. de semillas de hinojo machacadas, hacer un volcán y añadir 2 cdas. de manteca clarificada blanda, 1 cda. de aceite y 1/2 taza de yogurt natural. Empezar a amasar. Poco a poco incorporar leche tibia hasta que quede una masa suave, muy suave.
- Tapar el bol con un plato o repasador y dejar reposar por 6 horas (sí, mucho tiempo) en un lugar fresco.
- Volver a amasar un poco y formar bollitos del tamaño de una nuez grande; dejarlos descansar 5 minutos. Estirar con palo de amasar o con las manos, hasta que estén bien finitos. No importa mucho la forma.
- Cocinar sobre la parrilla o grill bien caliente sin nada de aceite, volteándolos bien seguido y cuidando de no quemarnos. Yo pongo un bol con agua helada cerca para enfriar los dedos (se puede usar una pinza).
- Hay que estar encima, porque se cocinan muy rápido. Se van a inflar un poco. Otra vez, cuidado: las burbujas de aire queman mucho.
- Antes de servir, recalentarlos unos segundos en el horno.

Raita

- Con un tenedor raspar la piel de 1 o 2 pepinos y frotarlo con sal y azúcar. Guardar en una bolsa de plástico a la que se le ha de sacar todo el aire posible; dejar reposar 30 minutos. Limpiar con un papel, cortar al medio y retirar las semillas con una cucharita. Luego rallarlo. Mezclar el pepino con 1 frasco de yogurt natural, 3 ramitas de menta picada y gotas de jugo de limón; salpimentar.

Chutney de frutas tropicales

- Picar en cubos chicos todas las frutas que encontremos. En este usamos: 3 mangos, 2 papayas, 1 ananá, 2 pepinos, varios ajos, 2 verdeos, 1 morrón, 2 cebollas, 150 g de jengibre, 4 chiles con semillas, 1/2 taza de maní, 1/2 taza de pasas de uva rubias, anís estrellado, canela, sal, 1/2 litro de vinagre blanco y 2 k de azúcar común. Todo, a cocinar por 1 hora 20 minutos, a fuego medio.

Latkes de papa con remolacha y arenques

Mis primeros encuentros con la cocina judía fueron en una rotisería a la que me llevaba mi papá, donde comprábamos pletsalej con pastrón, mostaza y pepinitos. Y en la casa de los Scolnick, una familia que ama comer rico y se lo toma en serio. Después de cada celebración siempre quedaba mucha comida en la heladera y al otro día terminábamos tomando el té con boios, pletsalej, varinikes, la salsa del gefiltefish y latkes. Con eso como base de sabor surgió esta combinación. Me gusta esta cocina porque es simple; y los sabores son frescos y claros.

- Lavar muy bien 4 remolachas y ponerlas, con piel, en una asadera o fuente para horno. No cortar los extremos para que no pierdan color.
- Rociar 5 cdas. de vinagre de manzanas, 2 cdas. de azúcar rubia, 1/2 taza de agua, 1 hoja de laurel, sal y pimienta. Cubrir con papel aluminio, llevar a horno medio (170º C), y darlas vuelta alguna vez, hasta que las remolachas estén tiernas (hora, hora y media.) Dejar que entibien. Se pueden picar a cuchillo bien chiquitas o procesar un poco.
- Pelar 2 o 3 papas y rallarlas. Lo mismo con 1 cebolla chica. Mezclar con las papas. Salpimentar.
- Tomar una porción con una cuchara sopera o con la mano y exprimir un poco. Algunas papas pueden tener el almidón y la humedad justos y no necesitar nada para ligar entre sí, pero puede fallar. Probar hacer un latke en la sartén con aceite caliente, pero no demasiado. Si se desarma, ponerle primero 1 cda. de harina, mezclar y volver a probar. O agregarle un poco de huevo batido. Cocinar hasta que estén bien doradas de ambos lados. Para recalentarlas, al horno fuerte unos minutos.
- Mezclar 4 cdas. grandes de queso crema con 2 o 3 cdas. de krein (rábano picante, fresco o en frasco), sal y pimienta. También se puede mezclar todo con el puré de remolachas.
- Servir con arenques (sigo el consejo: "siempre el de lata azul"), alcaparras o pepinitos en vinagre.

Cheese cake de chocolate

Esta torta abarca a dos públicos, a veces encontrados a la hora de los postres: los que aman el chocolate y los que prefieren sabores más frescos, un poco más ácidos (los que comen tortas de queso o frutas).
No tiene mucha azúcar, por eso no es tan dulce. Pero sí es untuosa y equilibrada.

- Procesar 1 1/3 taza de galletitas dulces simples (sin relleno) con 100 g de manteca fría y 1 cda. de cacao. Con la ayuda de una cuchara, acomodar la masa (va a parecer arena mojada) presionando un poco en un molde de 26 cm de diámetro con la base previamente forrada con papel aluminio. Llevar a la heladera por 30 minutos (no evitar este paso, que es importante).
- Para el relleno, derretir 200 g de chocolate a baño maría, a fuego bajo. En un bol mezclar 2 1/2 tazas de queso philadelphia con 3/4 taza de azúcar (con cuchara de madera o espátula, nada de batidores), hasta que queden bien incorporados.
- Agregar 3 huevos uno a uno, mezclando bien antes de poner el siguiente y hacer lo mismo con 3 yemas.
- Mezclar 1 cda. de cacao con 1 cda. de agua y agregarlo a la mezcla, lo mismo que el chocolate derretido. Por último, añadir 2/3 taza de crema. Mezclar bien.
- Volcar sobre la base en el molde; con papel aluminio cubrir el molde por fuera para que no le entre agua y llevar a baño maría al horno precalentado a 170º C entre 45 minutos y 1 hora.
- Supervisar para que no se pase. En el centro debe estar blanda (no tocar, simplemente mover un poco la fuente). Sacar del horno y colocar sobre una reja; dejar que enfríe completamente. Ni se nos ocurra desmoldar en tibio, porque se rompe. Llevar a la heladera por lo menos 1 hora.
- Sólo queda cubrirla. Derretir 100 g de chocolate a baño maría. Agregar 1 taza de melaza o kero (jarabe de maíz) poco a poco, con la ayuda de un batidor, y después incorporar 1/2 taza de crema de la misma manera.
- Dejar enfriar a temperatura ambiente antes de desmoldar. Volcar la cobertura y llevar a la heladera 1 hora más como mínimo. Queda una superficie brillante, pero no rígida.

Pastel de pescado

Como el tradicional pastel de papas con carne picada, pero con pescados. Si ponemos varios, mejor. Originalmente se hacía con recortes. El salmón combina muy bien con la papa o la crema y es un buen candidato. No recomiendo atunados: se van a terminar secando. El fish pie es de origen inglés, donde hay bacalao fresco (si alguna vez se cruzan alguno, grillen los filetes y cómanlos con papa hervida y aceite de oliva, a la portuguesa; y con los recortes hagan este pastel). Tiene sabores refinados, y también podría ser comida para bebés por lo suave y reconfortante que es. Conozco mucha gente que clama que no le gusta el pescado, pero se rinde ante este pastel.

- Limpiar bien 600 g de filetes de salmón rosado (o abadejo, bacalao, mero, etc.) y cortarlos en trozos chicos (tamaño bocado).
- Pelar y cortar bien chiquitas 1 zanahoria, 1 cebolla chica y 1 rama de apio. Poner en una olla amplia con un poco de manteca o aceite, hasta que empiecen a dorarse. Entonces incorporar 1 vaso de vino blanco, dejar que evapore el alcohol, después añadir 1 taza de caldo y salpimentar.
- En una sartén preparar un roux (derretir 3 cdas. de manteca con 3 cdas. de harina y cocinar revolviendo por 2 o 3 minutos).
- Agregar azafrán y el roux al caldo. Revolver a fuego bajo hasta que empiece a espesar. Incorporar 1/2 taza de crema, dejar que apenas rompa hervor y agregar los pescados cortados. Cocinar 1 o 2 minutos, apagar y retirar del fuego. Agregar 150 g de arvejas, 2 cdas. de perejil y 2 cdas. de eneldo picados y 200 g de camarones (opcional).

- Todo se va a terminar de cocinar en el horno.
- Con 2 k de papas hacer un puré y condimentarlo con sal, pimienta, nuez moscada y 5 cdas. de manteca.
- Enmantecar bien una fuente para horno, revisar que todo esté condimentado y volcar la mezcla del pescado dentro. Cubrir con el puré y pintar la superficie con 1 clara de huevo semibatida.
- Hornear a 180º C sobre una placa, porque el relleno va a hervir y chorrear un poco.
- Cuando esté bien dorado y caliente, sacarlo y dejarlo reposar 5 minutos.

Ceviches o cebiches

"El pescado debe oler como el océano. Si huele a pescado, es demasiado tarde…" (dicho español).

179

El ceviche es uno de los platos más simples, frescos, sanos y ricos que nos da la cocina latina. Y su representante más de moda en todas las cartas del mundo. Y para aquellos otros que creen que el pescado crudo no les gusta, deberían probarlo para descubrir un capítulo nuevo en lo que a mar se refiere. Trabajo, casi nada. Tiempo, menos todavía. No hay excusas para no intentarlo con este plato perfecto. La única condición para hacerlo es que el pescado esté muy fresco. A la hora de comprarlo tiene que estar entero y lo mejor es pedirle al pescadero que lo filetee. Mi pescadero, José Luis, es peruano, por lo cual dejo que elija él. Los pescados deben ser no muy grasosos y de carne relativamente firme, para seguir la tradición. Pero muchas veces lo hice de salmón y queda rico igual. Las proporciones en las recetas son relativas. Probamos siempre para corregir, ya que no hay misterios de cocción que cambien los sabores.

- Revisar siempre (pasando la yema de los dedos) que el pescado no tenga espinas. Cortarlo en láminas o cubitos, de acuerdo con la textura, para que no se rompa.
- Pelar 1 cebolla blanca y cortarla al medio y en láminas finas.
- Cortar 1 diente de ajo a la mitad y frotar con él el bol. Dentro de este, disolver sal marina a gusto en 1 taza de jugo de limón colado.
- Agregar la cebolla (cuanto más fuerte esté la cebolla, más tiempo dejarla en el limón) y 1 o 2 chiles picados.
- Dejar que reposen un rato y, un ratito antes, incorporar 500 g de pescado o mariscos y 1/4 taza de hojas de cilantro (cuanto más tiempo se deje el pescado en el limón, más cambiarán su color y su textura, "cocinándolo" mejor).
- Servir todo sobre hojas de lechuga (cantidad necesaria) lavadas.
- Si le tenemos respeto o miedo al picante, no hay que evitarlo sino retirarle las semillas antes de picarlo, tocándolo lo menos posible o frotándonos los dedos con un poco de aceite.
- Las batatas son para contrastar el calor del chile, hay que servirlas a temperatura ambiente. También se le puede agregar choclo salteado fresco o seco y frito.

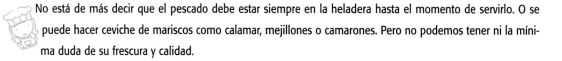

No está de más decir que el pescado debe estar siempre en la heladera hasta el momento de servirlo. O se puede hacer ceviche de mariscos como calamar, mejillones o camarones. Pero no podemos tener ni la mínima duda de su frescura y calidad.

Tropical

- Cortar 1 o 2 cebollas coloradas al medio y después en láminas muy finas. Cortar 500 g de filetes de lenguado (o cualquier otro pescado) en trozos pequeños pero no demasiado finitos, ya que el lenguado se puede desarmar.
- Reservar en frío.
- Frotar el bol con el diente de ajo y mezclar en él unos chiles picados (lo que aguantemos), mango en láminas, palta (opcional), 1/2 atado de cilantro picado, el jugo de 2 o 3 limones y 1/2 naranja, 1/2 taza chica de leche de coco y sal marina.
- Cinco minutos antes de servir, incorporar el pescado en el bol con todos los ingredientes.

Amarillo

- Hacer lo mismo que con el ceviche clásico, sólo que en un mortero machacar chiles amarillos, con o sin semillas (de acuerdo con el coraje), con una pizca de sal y azúcar, que ayudan a erosionar y formar la pasta. Cuando se haya conseguido un puré amarillo, mezclarlo con el jugo de limón y el resto. Por último, el pescado y el cilantro. Si se lo quiere suavizar un poco, se le puede agregar a la pasta un trozo de morrón o pimiento dulce amarillo.

Oriental

- Cortar 1 pepino japonés en cubitos chicos o láminas muy finas.
- En un bol mezclar bien 1 diente de ajo aplastado, 3 cdas. de jugo de lima y el jugo de 1/2 limón y 1/2 naranja, un poco de sal, 1 cda. de salsa de soja y 1 cdta. de azúcar.

- Cortar 500 g de lenguado en láminas finas (casi transparentes) y acomodarlas en la base de un plato chato o fuente, cubriendo la superficie. Sobre el pescado poner algunas cucharadas de la salsa, el pepino picado y 2 cdas. de cebolla de verdeo picada. Calentar una sartén o cacerola chica y agregar 1 cda. de aceite de girasol y unas gotas de aceite de sésamo. En cuanto comiencen a humear volcarlos sobre el pescado. Va a burbujear y crujir, pero sin salpicar, abriendo todos los aromas, haciendo que se unan y cambiando apenas la textura. Por último, incorporar 1/2 atado de cilantro.

- Poner en un bol los pescados o mariscos. Agregar una salsa hecha mezclando en un bol 1 chile picado con parte de las semillas, 1/2 cebolla en juliana y 1 cdita. de jengibre rallado. Condimentar con sal marina.

- Agregar los pepinos, el azúcar y el cilantro. Llevar a la heladera 15 minutos antes de servir.

Empanadas árabes abiertas

Este tipo de recetas "de la abuela", las de tradición, funcionan mejor si uno ve hacerlas, si alguien nos muestra cómo. Porque son recetas que se trasmiten boca a boca, en las que las cantidades se miden a ojo, y las técnicas, muy manuales, se aprenden mirando y se las llega a dominar practicando.

- Disolver 20 g de levadura en 1/4 taza de leche tibia con 1 cda. de azúcar. Dejar que espume 15 minutos.

- Tamizar 500 g de harina y formar un volcán. En el centro poner la levadura, 3 o 4 cdas. de aceite de oliva y mezclar, agregando poco a poco 3/4 taza de agua tibia salada (puede ser más o menos). Yo en general pongo el aceite en el agua, pero si uso poca agua (hay días en que la harina pide menos), utilizo aceite extra.

- Amasar por 15 minutos, hasta que esté suave (nunca amaso más de medio kilo, porque tengo poca fuerza en las muñecas; pero si se duplica la receta, hacer dos bollos para que descanse, dejando tapada con un repasador, en un bol con un poco de aceite, por 3 horas). Cuando falte media hora, prender el horno para que se vaya calentando.

- Los vegetales (2 cebollas chicas o 1 grande, 1/2 morrón, 1 diente de ajo) tienen que estar bien picados, pero no en cubitos perfectos; sino pasando varias veces hacia delante y atrás con el cuchillo (como pican las abuelas, no los chefs) para que queden un poco machacados también.

- Mezclarlos con 500 g de carne de vaca o cordero picada con poca grasa, 1/2 taza de tomate en lata procesado, 4 cdas. de menta picada, 1/2 taza de perejil picado y el jugo de 1/2 limón. Condimentar con sal, pimienta y 1/2 cda. de ají molido. Esta es la parte donde el ojo vale: a veces la carne está muy jugosa y más blanda; entonces hay que poner menos tomate; o el ají molido está viejo y no tiene gusto a nada. Para darse cuenta hay que usar el olfato y hacerla varias veces. Son sabores conocidos y recetas fáciles, sólo hace falta práctica. Amasar haciendo que la carne pase entre los dedos, mientras se cierra las manos, para lograr una textura lisa y separar los pedacitos de carne y verduras.

- Dividir la masa en bollos del tamaño de una mandarina chica o un huevo (según el gusto) y dejar reposar otros 10 minutos. Estirar en forma circular hasta que tengan 1/2 cm de espesor o menos. Poner la carne sobre la masa, dejando un borde libre. No exagerar con la cantidad, una capa fina y pareja, pero fina, de carne.

- Colocar con cuidado en placas enmantecadas (si la masa está muy blanda o las empanadas tienen un diámetro grande, mejor armarlas ya en la placa). Cocinar en horno a 180º C por 15 minutos, hasta que doren los bordes. A medida que se las va sacando del horno, ponerlas en una cacerola, tapar con un trapo y colocar la tapa, para mantener el calor y la humedad.

- Se pueden comer enseguida o, si se las va a servir después (en mi opinión son más ricas así), darles un golpe de horno bien fuerte y servirlas con más limón.

184

Perfiles

Un buen ingrediente es disparador de recetas, que puede ser que olvidemos un segundo después de haberlas hecho. Las comidas que más disfrutamos son las que hacemos con todo lo que había en la cocina, cuando tenemos que inventar algo en el momento. Para eso necesitamos dos cosas: buenos productos y hacerles lo menos posible, o productos estándar o que ya pasaron su momento. Y aplicar: creatividad, algo de técnica y condimentos. En este compilado sin más criterio que mi gusto personal, quiero pasarles tips o recomendaciones para esas comidas no planificadas, las espontáneas. Y datos útiles para cuando no usamos recetas.

Carnes

Creo que los occidentales, que vivimos en grandes ciudades, somos un poco hipócritas con respecto al consumo animal. Comemos más carne que nadie y no queremos saber ni cómo vive ni cómo muere; nos da lástima, pero sólo miramos para otro lado. No preguntamos qué tiene dentro la morcilla, "no me cuentes que quiero seguir comiendo". Los animales son sacrificados para nosotros, lo menos que podemos hacer es no desperdiciar nada. Y no comer siempre los mismos cortes. Hay que saber, variar, probar, e interesarse un poco aunque sea; todos los cortes tienen distintos sabor y textura; y hay recetas para todos.

• En los supermercados, desconfíen de la carne empaquetada muy, muy roja: está tratada. Mejor comprarla fresca, recién cortada. Es preferible comprar carne de mejor calidad y comer un poco menos, compensando con otra cosa.

• Pollo: si tiene piel muy gruesa, mejor no llevarlo, tiene mucha grasa, agua y casi nada de sabor. Es preferible comer menos veces pollo y comprar de granja, que es más difícil de encontrar y más caro. Y pueden aprovechar los huesos que sobran para una sopa que valga la pena. Es abismal la diferencia de sabor y calidad.

• Carnes de caza: elegir animales jóvenes y gordos. Para congelarlos, envolver patas en doble aluminio y el cuerpo en plástico.

• Para guardar bien la carne: envolver en papel manteca en la heladera, porque respira. No lavar nunca con agua, usar un trapo.

• Asar sobre sal gruesa los cortes que son muy grasosos.

• Para cocinar un cordero lechal: agregar manteca, porque tienen poca grasa.

• Conejo: para que la carne quede más blanca, frotar con vinagre. Y cuidar de no pasarlo, que se seca enseguida.

• Pavo: para saborizarlo, inyectar con cognac (o lo que quieran) dos veces por día, por dos días. Y guardar en heladera, envuelto en trapo húmedo.

• Jamón crudo: en cocciones, agregarlo a las preparaciones cerca del final, porque suelta mucha sal.

• Hígado (aunque no me gusta nada): dejar en agua salada o leche, dos horas antes de usar. No recalentar porque se endurece.

• Morcillas, chorizos, etc.: para cocinarlos, primero fuego fuerte, y después bajo.

Huevos

- Son muy buenas herramientas: coagulan, espuman, emulsionan y doran.

- Si son de granja o caseros, se desinfectan poniendo una gota de yodo en un litro de agua y remojándolos por no más de un minuto.

- Omelettes: los huevos se agregan en cuanto la espuma de la manteca desaparece y antes de que cambie de color.

- Huevo que flota en agua salada está pasado. Yo los pruebo sacudiéndolos: si la yema está muy suelta adentro y se sacude, no lo uso; lo tiro sin romper.

- La tortilla de mi tía Viviana: para 600/700 g de papa, 1 cebolla, entre 4 y 5 huevos. Cortar las papas en láminas relativamente finas y en una sartén grande (llenamos hasta al menos la mitad) hervirlas con las cebollas en el aceite no muy caliente. Con la cuchara de madera romperlas un poco. Cuando están tiernas, sacarlas y colarlas, y seguir rompiendo un poco con la cuchara. Agregar los huevos semibatidos con 1 cda. de bicarbonato, sal y pimienta. Revolver bien y llevar a la sartén nuevamente (dar forma con la cuchara). Cuando asentó, con cuidado darla vuelta. Tapar unos minutos y servir, aunque a mí este tipo de tortilla me gusta fría y con limón.

- Revueltos: son uno de mis platos favoritos. Poner los huevos en un bol y condimentar. Agregar 1 cda. de crema. En sartén antiadherente, con manteca a fuego mínimo, agregar los huevos, revolviendo apenas de vez en cuando. Dejar cuajar y retirar unos minutos antes del punto deseado. Con salmón ahumado, panceta dorada o... banana fileteada, como hago yo. Como me lo hacía mi mamá.

- Pesan de promedio unos 50 g (20 la yema y 30 la clara). Pasados por agua: para que la yema quede jugosa, 4 minutos desde el hervor. Duros: 2 o 3 minutos más.

- Se pueden cocinar a mayor temperatura con ingredientes con almidón como: harina, maizena, tapioca o papa.

Preparaciones de cacerola

- Sin almidón (ojo, que requieren más cuidado), como la crema inglesa, el curd de limón, la natilla, el sambayón (los tres, recuerden, a baño maría).

- Con almidón: la crema pastelera y la base del soufflé.

Preparaciones de horno

- Sin almidón: el flan, los timbales, el quiche.

- Con almidón: un clásico como la cheesecake (también a baño maría).

- Mix de cacerola y horno: La creme brulée, los pots de crema y la creme caramel.

Pescados y mariscos

- Cuanto menos se les hace, más sabor van a tener. Es más importante la sartén que el condimento. Sal, oliva y una buena sartén de hierro valen más que las mejores hierbas o vinos en una sartensucha de aluminio finita.
- Estar atentos a comprar por frescura y no por lo que dice la receta. Primero elegir cuál y después pensar cómo hacerlo. Siempre es preferible que le falte un poco a que se pase.
- Si alguna vez pescamos, existe mucho placer en comer lo que uno consiguió de la naturaleza con sus manos.
- Nunca hay que congelarlos con vísceras, siempre limpios y secos.
- Para sopas, no es necesario comprar pescados caros. Los mejores son los que tienen más hueso y menos carne.
- Al comprar un pescado entero, debe tener: ojos brillantes, cuerpo firme (al presionar con el dedo, la carne no debe quedar hundida), las escamas bien adheridas y por supuesto no oler a "pescado".
- Mariscos: el olor a amoníaco es la alerta y ante la duda, no consumirlos.

Tipos

- LOS GRASOSOS: de piel azulada, en forma de torpedo, y con carne rosada, beige o amarronada, con mucho sabor. Buenos para grillar, y necesitan un toque ácido como limón, vinagre o tomates. Sardinas, atún, bonito, salmón, caballa, trucha.
- CHATOS: como el lenguado. De carne blanca, y delicada. Aceptan bien un poco de grasa (manteca, crema, aceite).
- CHIQUITOS: trillas, besuguitos, los tropicales. Dejarlos enteros y cocinar con vino y hierbas.
- GRANDES Y DE TORSO REDONDO: con mucha carne grasosa y firme, que se separa sola al cocinarse, bien blanca, de aguas profundas. Abadejo, bacalao, merluza negra.

Cocciones, tipos de pescado y base de la salsa

Horno	• Se conservan los sabores delicados • Pescados redondos o planos • Enteros o filetes	Aceite de oliva extra virgen y manteca
Pocheado	• Pescados firmes, redondos o planos • Enteros, en filete o trozos	Emulsiones
Frito	• Pescados blancos enteros • Filetes o trozos (pasado por harina y pan o masa)	Limon o emulsión aparte
Grillado/gratinado	• Pescados de carne firme • Entero, filete o en trozos	Oliva o manteca
Sartén	• Cualquiera	Salsa aparte. Limón o manteca
Guisados o hervidos	• Pescados firmes y/o con huesos	Bases de vino, caldos, tomates

Papas

• Las papas siempre son ricas, pero hay papas mucho mejores que otras. Presten atención a qué forma tienen, su textura, si están secas... para la próxima vez. Hay veces que algo puede fallar por la calidad y el tipo de papas. Hasta un simple puré nos puede salir mal a ustedes, a mí y al chef del Cordon Bleue.

• Resisten todos los formatos y técnicas de cocción. Además, son fácil de digerir. Excepto que tengan partes color verde, que caen mal (para evitarlo, mantenerlas lejos de la luz).

• Conviene, cuando se puede, cocinarlas con cáscara, para que conserve más sus nutrientes.

• Si se las hierve con cáscara, pelarlas en caliente, es mucho más fácil. Si se las hace enteras al horno, ponerlas directamente sobre las rejas, sin fuente. O combinar: hervirlas enteras por 15 minutos y ponerlas en un horno bien fuerte hasta que se doren.

• Papas en cuña: cortar las papas con piel, en gajos a lo largo. En un bol mezclarlas con aceite de oliva o manteca derretida, pimientos, cúrcuma, romero picado, jugo de limón, sal y pimienta, (y lo que se les ocurra). Las ponemos en una placa de horno con 1 cm de agua, tratando de que la piel no sea lo que apoya (así quedan mas crocantes) a 180/190º C, hasta que se doren bien.

• Cuando cocinen papas, hagan siempre de más. Son ricas de cualquier manera y sirven para el día siguiente.

• Las papas para guiso se cortan hasta la mitad y luego se rompen, para que las aristas espesen el guiso.

• No dejen de probar las papas aplastadas de la página 85 (acompañan el cordero en el capítulo "Con tiempo").

Vegetales

• Es claro y básico: lo que más hay que comer son verduras y frutas. Así que a dejar de quejarse de que no les gustan y a empezar a descubrir cómo podrían gustarles (aunque sean fritas).

• No hagan los vegetales siempre de la misma manera, porque después dicen que son aburridos. Prueben distintas recetas o inventen todo el tiempo.

• Pueden ser la base de un plato principal o guarnición. En tartas y con pastas, funcionan muy bien.

• Cuando hagan cocidos o pucheros, coman al otro día los vegetales hervidos y la carne en forma de ensalada con oliva, aceto y sal gruesa.

• Ajo: puede ser fuerte y agresivo (en cocciones cortas y a alta temperatura) o dulce, sutil y suave (en cocciones largas). Guardar dientes limpios o picados en aceite. Cuanto más jugoso, más suave y fresco. No hay nada más rico que la cocina con olor a ajo frito.

• Berenjenas: no comprar las culonas, sino las que sean más rectas, grandes o chicas; y que no sean livianas para su tamaño, porque parecen telgopor.

• Brócoli: ¿cómo se puede odiar un vegetal? Se adapta a platos fríos y calientes. Lo más fácil: blanquearlo y saltearlo con pastas y ajo.

• Cebolla: siempre va a estar ahí para ayudarnos a darle sabor a la comida: picante, dulce, ácida, suave y fuerte. Además da textura y riqueza a las preparaciones. En épocas frías, una sopa estrella: cocinar en un poco de manteca y oliva 1 kilo de cebolla en juliana, a fuego bajo hasta que esté bien caramelizada (pero no frita), mucho tiempo. Agregar una copita de oporto o marsala (dejar evaporar) y alguna hierba. Llenar con caldo de pollo, y que se cocine por lo menos una hora más, siempre bajo y semitapado. Comer con queso gratinado en tostadas.

• Coliflor: debe estar bien cocida (mejor blanda que cruda). Su sabor se realza con salsas untuosas o cremas "remolcadoras". Se puede comer en puré, en milanesa o como buñuelo frito y con mucho limón. Y hervir con miga de pan mojada en aceite para que no huela, al menos eso dicen las abuelas.

• Espárragos: me encantan con huevos revueltos o duros picados con perejil y vinagre. Deben estar tiernos, pero firmes y derechos.

• Nabo rallado y blanco, va muy bien en una base de soufflé o con los huevos con estragón (pág 93).

• Ratatouille, caponata: frías, con pan caliente. Y calientes, con pan frío.

• Repollo: blanco o colorado, Bruselas, pak-choi o akusay. Los incomprendidos. Su origen: el norte de Europa. Propiedades: antioxidante y anticancerígeno; tiene mucha fibra, vitamina C, potasio y no engordan nada. Se pueden hervir y saltear en una sartén, agregándole panceta, papas y perejil picado. Al elegirlos deben ser firmes, compactos y brillantes. El colorado cortado en juliana se puede cocinar en manteca con rodajas de manzana, azúcar negra, vinagre de sidra, agua, comino e hinojo. Cocinar tapado 1/2 hora. Bueno para acompañar salchichas o purés.

• Tomates: si estaban muy buenos y no llegamos a comerlos, congelados sirven para salsas.

• Zanahorias: cocinar con suficiente materia grasa. O comer crudas, recién lavadas y enteras con la mano.

• Zapallitos: hervir sin cortar, absorben menos agua.

Hongos

• Lo más simple: saltearlos con aceite o manteca, bien dorados, con ajo, perejil y unas gotas de limón. Y así servir con pastas, pan tostado, etcétera.

• Si sobraron, secar en horno suave para deshidratar, moler y tener polvo para condimentar.

• Son hipocalóricos (ochenta por ciento agua), por lo que si no tenemos cuidado se hierven cuando los queremos dorar. Hacer en tandas chicas y con mucho calor.

• Nunca hacerse el silvestre y salir a cosechar si estamos en un lugar donde hay. Es peligroso, sólo los que viven en esos lugares pueden y saben.

• Fijarse que no tengan manchas, que estén enteros y sin machucones.

• En vez de lavarlos, pasarles un trapo húmedo y luego uno seco (si tienen paciencia). O un remojo muy rápido (nada de frotarlos) y secar bien sobre papel.

Arroz

El principio básico a saber del arroz es que hay dos maneras de prepararlo (en verdad hay muchas más; pero, como conceptos, son dos):

Si queremos cuidar el almidón, no lo lavamos, lo sellamos con grasa y que lo suelte despacio, que espese. Participamos revolviendo, para que se forme una crema con los sabores que le agregamos. Así esos sabores (mientras el grano se cocina soltando almidón), van impregnándose. Son preparaciones que nos satisfacen inmediatamente, donde queremos el centro al dente. Risotto.

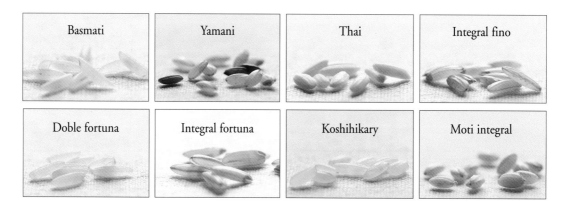

Basmati — Yamani — Thai — Integral fino

Doble fortuna — Integral fortuna — Koshihikary — Moti integral

• La oriental, en la cual le sacamos el almidón, lo lavamos, dejamos que seque y repose, haciendo que el grano absorba líquido. Lo cocinamos con el agua justa, tapado, sin espiar, en su propio vapor, haciendo que los granos de arroz se inflen al máximo (así no lo hacen en la panza). Por eso es muy liviano.

• Arborio o carnaroli: para risotto.

• Basmati: no hay que hacerle casi nada, sólo lavarlo. Hervido solo está buenísimo. Muy aromático.

• Doble fortuna: el más común. Se sirve en la cocina china y también para sushi.

• Integral de bolsita: ni pensar en usarlo, olvídense. De práctico nada, me quemé toda cuando traté de sacarlo.

• Integral fino: también hay basmati integral. Hay que lavarlo.

• Integral fortuna: necesita más agua y bastante más tiempo de cocción.

• Koshihikari: redondo y chico. Se usa para sushi, pero también se puede usar el fortuna.

• Moti integral: muy firme. Redondo. Es sabroso y tiene suficiente almidón como para budines, etcétera.

• Salvaje: técnicamente no es un arroz. Hay que tener paciencia y cocinarlo con mucho tiempo, preferentemente en combinación con otra variedad de arroz (ojo que se clava entre los dientes).

• Thai: aromático pero suave. Hervido o al vapor. Se parte fácil.

• Yamaní: hay que hervirlo más tiempo. Lleva más agua, casi el doble. Es más firme y con buena textura.

Tipo de arroz	Agua por 1 taza aprox.	Tiempo de cocción (min.)	Volumen cocido
arborio	3	20- 30	3
basmati	1 y 1/2	25	3
blanco corto	1 y 1/2	30	3
blanco largo	1 y 1/2	18	3
integral corto	2 y 1/2	35-40	4
integral largo	3	40	4
salvaje	3	35-40	4

Pastas secas

- Tener en cuenta que existen diferentes pastas: italianas, asiáticas, de Medio Oriente... Así que comer pastas no siempre significa un menú italiano. Podemos saltear cerdo o pollo, verdeo, zanahorias, pimientos, un poco de soja o salsa Tonkatsu, con unos fideos orientales ya cocidos.
- Abundante agua. Mucha, cuanta más mejor.

197

Harina

Para inventar alguna masa, si nos sentimos cómodos con la pastelería o panadería, debemos saber las mezclas básicas:

- Harina + manteca = masa de tarta, galletitas quebradizas. Se le puede agregar crema, huevo, azúcar, almendras molidas, etcétera.
- Harina + agua + levadura + aceite = focaccia, pizza. Preparar el fermento antes (la espuma) y pueden tener varios levados.
- Harina + polvo de hornear + huevos + azúcar: budines, bizcochuelos.
- Harina + leche + manteca + huevo: brioche o pancitos livianos. Con o sin levadura.
- Harina + huevo: pastas con agregados, oliva, etcétera.
- Harina + aceite o grasa + agua: panes chatos, tortillas.

Otros ingredientes:

POLVO DE HORNEAR: guardarlo bien cerrado, porque la humedad lo activa y suelta el dióxido de carbono.

BICARBONATO: se activa cuando se mezcla con ácidos como vinagre, limón o leche, haciendo crecer las tortas. Agregar justo antes de hornear, si no, se pierde el gas y el efecto.

ALMIDÓN DE MAÍZ: espesante, se disuelve en agua. Una cuchara al ras espesa 300 ml de salsa. También aligera tortas y budines (usar 4 partes de harina y 1 de almidón).

CRÉMOR TÁRTARO: ayuda a los merengues. Una pizca a las claras y les aumenta el volumen.

LEVADURAS: fresca, en polvo, se activa con agua y/o un poco de azúcar, miel y harina;
5 g de levadura seca equivalen a 10 g de fresca.

Cereales, granos y legumbres

• Dicen las señoras que saben que, si se las cocina con semillas de comino, las legumbres no dan gases.

• Los garbanzos remojados, desde agua hirviendo. Los porotos grandes, desde agua fría, más 24 horas de remojo. Arvejas, poca agua y a fuego bajo.

• Maní de garbanzos o soja: dejamos en remojo con abundante agua, entre 36 y 48 horas, cambiando el agua dos veces como mínimo. En un bol, ya escurridos, mezclar con aceite, pimentón, sal, hierbas y poner en una placa de horno a fuego muy, muy bajo, por lo menos 2 h 30', removiendo de vez en cuando. Quedan muy crocantes; ideales para picar con cerveza.

Los cereales menos comunes. Y una guía aproximada para cocinarlos

Tipo	Agua por 1 taza	Tiempo de cocción (min.)	Volumen cocido
trigo entero	3 y 1/2	50 - 60	3
cous cous	1 (mojar y al vapor)	15 - 30	2
trigo bulgur	2 y 1/2	15 - 30	3
		(verter agua hirviendo y tapar)	
amaranto	3	25	2 y 1/2
cebada	3 y 1/2 ó 4	35/45	3 y 1/4
quinoa	2	12 - 15	3

Frutas

• Con limones: hacer la limonada con jugo de limón, hielo, una ramita de menta, azúcar apenas, una monedita de jengibre, agua... y a la licuadora.

• Por sus semillas, las frutas pueden ser de hueso o carozo (como el durazno, cereza, o la ciruela), de pepita (manzana, pera, membrillo) o de grano (frutillas, frambuesas, etc.) Todas son buenas para dulces.

• Palta: la variedad más sabrosa es la Hass (chiquita de cáscara negra y carne mantecosa). Una palta fuera de su punto (antes o después) nos arruina el plato, hay que probarla siempre antes de agregarla.

• Muchas frutas, sobre todo las tropicales, se "despiertan" con unas gotas de jugo de lima o limón.

• Si las bananas empiezan a pasarse, hay que meterlas en la heladera para que no se pudran; la piel terminará de oscurecerse, pero la carne se mantendrá firme y súper dulce.

• Si ven mangos de piel verde, grandes y alargados, cómprenlos sin preguntar ni dudar. Es una variedad muy dulce, no tiene la carne tan fibrosa y no deja hilos entre los dientes.

• Si la papaya no está bien rosada-anaranjada por dentro, casi flúo, no vale la pena comerla; tiene que estar madura.

• El maracuyá es soporífero, tiene cualidades relajantes, por eso en el Brasil les dan jugo después de almorzar a los niños, así los padres pueden dormir la siesta.

• Agreguen frutas a las ensaladas: rúcula, jamón crudo, queso feta o mozzarella, cebolla colorada, y durazno o higos. O zanahoria y remolacha ralladas, con tomates, papaya y mango. Prueben, experimenten con las frutas que más les gusten.

• En el caso de los frutos rojos, a las cerezas guárdenlas así como las compraron (en bolsa o cajita de plástico), sin lavar por no más de 5 días. Las frutillas, siempre con el cabito verde, también sin lavar. Pero sáquenlas de la caja. Las frutas rojas (arándanos, moras, frambuesas, etc.) duran más si se las pone en una sola capa sobre papel de cocina, evitando que se superpongan.

Quesos

- Frescos: sin madurar (cottage) o maduros (cheddar, brie, roquefort). Firmes: duros, como el parmesano o pecorino; semiduros, como el gouda, el fontina, etcétera.
- Para pizza, queda mucho mejor la mozzarella rallada. Para eso, ponerla en el freezer un rato, así se endurece.
- Pensando en una picada o tabla de quesos, a veces es preferible comprar una horma de un queso muy bueno y rodearlo de muchos acompañamientos, que un surtido de quesos mediocres.
- Es mejor comprar en queserías que en el supermercado (aunque algunos tienen una buena sección). El que los vende y cuida los tiene que conocer y saber tratar.
- Envolver y asar brie o camembert en una rica masa (hojaldre mejor), con una ensalada y trozos de fruta. Sin palabras.
- A temperatura ambiente tienen más sabor y los duros se cortan mejor. Siempre sacarlos de la heladera un rato antes.
- Se le puede dar más sabor a una sopa de zapallo medio sosa agregándole nuez moscada, crema y gruyère.
- O agregar a una pasta: huevos batidos con queso pecorino rallado, alcauciles, perejil picado… y al horno.

Chocolates

- El punto de fusión del chocolate está justo debajo de la temperatura corporal, por eso es que literalmente se deshace en la boca.
- Busquen contrastes: si es cremoso, con algo crocante. Si es muy dulce, con algo ácido (frutos rojos, cítricos o mango).
- Si al guardarlo adquirió una capa blanquecina, no se preocupen, que no afecta su sabor.
- Amargo: tiene entre setenta y ochenta y cinco por ciento de cacao y menos azúcar. Para recetas con sabor intenso como trufas, mousses, helados o soufflés.
- Con leche: entre veinticinco y treinta por ciento de cacao. Más suave y cremoso, con más leche. Se derrite fácilmente, pero, cuidado, porque también se quema con más rapidez.
- Blanco: en realidad, cero por ciento de cacao. Sólo manteca de cacao y vainilla. Para coberturas, rellenos, helados y tortas de queso.
- En polvo: para tortas, bizcochuelo, trufas, espolvorear otros postres. O con leche caliente (con una cucharada de miel). No tiene azúcar agregada.

• Para derretir cualquier chocolate: siempre despacio, a baja temperatura y en cacerola de fondo grueso. Nunca a fuego directo (salvo cuando se combina con manteca, crema, leche o agua, poniendo todos los ingredientes al mismo tiempo). Técnicas posibles: baño maría, horno bien bajo (110º C por 5 minutos) o microondas (removiendo cada 30 segundos).

Especias, picantes y hierbas

Hierbas (frescas y secas)

• No sólo aportan sabor; a veces son el corazón de un plato.

• Hay que acostumbrarse a comprar alguna, aunque no tengamos para qué en mente. Tenerlas a mano ayuda a conocerlas y saber usarlas.

• Las de tronco: las usamos al principio de la cocción (tomillo, romero, salvia, laurel). Y sobre el final o en ensaladas usamos las tiernas: cilantro, perejil, ciboulette, menta, albahaca.

• Las secas son más fuertes.

• Si tienen un poco de tierra o lugar para macetas, planten algunas. Es bastante fácil y muy satisfactorio.

• Tomillo: del Mediterráneo. Así que combina con los productos de esa zona. Ideal para grillados.

• Romero: carnes, papas, horno de barro, parrilla, etc. También del Mediterráneo. Leve aroma a alcanfor. Bueno para guisos y estofados. Es fuerte.

• Estragón: en ensaladas, con pollo, huevo, con vinagres, comida francesa. Muy bueno con tomates asados.

• Laurel: discreto, bueno como soporte, en salsas, guisos, horneados (recetas de cocción lenta). Es sutil.

• Perejil: tomada como una hierba insulsa y decorativa, es fundamental y se nota cuando no está. En salsas frías y calientes, en ensaladas como el tabule. Para terminar platos.

• Salvia: fuerte e invasiva. Usar siempre menos de lo planeado. Rica con vegetales dulces (batata, zapallo).

• Cilantro: te amo, te odio, dame más. Es extremo: gusta o repele. La hierba más consumida del mundo. En las cocinas latinas, del sudeste asiático, India, Marruecos... Con chile, limas, ajo, etcétera.

• Albahaca: ya me aburre un poco. Usada hasta en la sopa últimamente (¿cuántas ensaladas capresse más podemos comer?). Una hierba suave, mediterránea, perfumada, para tener un vaso con la plantita cerca de la pileta de la cocina; planten una. Comerla cruda o tibia, no resiste cocciones.

• Menta: sirve para mucho más que decorar postres. Con arvejas y manteca, con ensaladas, en comida vietnamita, armenia, griega...

• Eneldo: un poquito anisado. Para papas, salmón, mostaza, crema, queso blanco.

• Ciboulette: para terminar platos, omelettes, ensaladas, que necesiten un tono acebollado, pero suave.

Especias

• Sal: prueben ponerle más al agua de la pasta y menos a los vegetales.

• La pimienta da calidez. Entera dura mucho; molida, nada. Origen: India. Los diferentes tipos varían según la cosecha en distintos momentos de maduración. La negra, antes de que madure; fuerte y dulce. La blanca se recolecta ya madura y no tiene cáscara; es más picante. La verde tiene más aroma. La de Jamaica, inglesa o de México (en inglés "allspice") huele y remite a varias especies. Si hacemos lomo o bife a la pimienta, macháquenla, pero no mucho, y usen manteca para dorar; mucho más rico.

• Comino: cálida y terrosa. Origen: India, Egipto, Siria, Turquía. Fundamental en la comida marroquí. Combina bien con carnes, vegetales dulzones, comida de Medio Oriente, India. Si les parece que huele a chivo, usen las semillas.

• Cúrcuma: resaltador de sabor y aroma. Suave. Origen: India, China, Medio Oriente. Da color. Indispensable en curries. La buena mancha todo de amarillo.

• Cardamomo: perfumado, evolvente, y cálido. Rico con masas, algo con almíbar, helados, bananas, lácteos, arroces. Comprar las semillas enteras y usar lo de adentro.

• Canela: corteza de un árbol originario de Sri Lanka. Intensa, dulce. La cassia, canela china o falsa canela es la que solemos usar molida. Es más áspera y menos aromática. Rica con frutas cocidas, curries, arroz, manzanas, pastelería, comidas de Medio Oriente e India.

• Coriandro: sabor un poco cítrico. Tostarlo antes de usar. Origen: India, Marruecos. Agregarlos siempre machacados o sacarlos antes de servir. Va bien con casi todo: lentejas, tomate, cordero, etcétera.

• Hinojo: un poco dulce, pungente y anisado, pero suave. Se usa en la comida mediterránea e hindú. Muy rico con cerdo. Origen: China, India.

• Anís: dulce y picante. En India se come para el mal aliento. Origen: Medio Oriente.

• Anís estrellado: la estrella tiene más sabor que la semilla. Origen: China.

• Azafrán: suave, dorado. La especia más cara del mundo. Vale la pena invertir. Origen: Egipto.

• Clavo: pungente. Y nos hace acordar al dentista a los que tenemos por lo menos más de 30 años. Se usa en lo dulce y lo salado. Origen: Islas Moluccas (Indonesia).

• Jengibre: fresco, especiado. Esencial en la cocina asiática. Mejora la digestión.

• Nuez moscada: clima cálido, intenso. Tóxica si se consume en cantidad excesiva. Origen: Islas Moluccas (Indonesia). Macís: cobertura de la nuez moscada. Sabor a pimienta suave. Combina bien con hidratos, papas, cremas, etcétera

• Sésamo: sabor con dejo a nuez. Origen: India, África. Tahini o tahina: pasta a base de sésamo que se usa en la cocina de Medio Oriente. Al tostarlo, como todas las semillas, abre su aroma y su sabor.

• Otras como pimentón, mostaza, son indispensables.

Picantes

• Dicen que las personas que más disfrutan del picante tienen espíritu aventurero. Aparte de gustarles que les gotee la nariz y se les desorbiten los ojos.

• Cada vez como comidas con más picantes. Así uno aprende que no son todos iguales. La lengua descubre los tonos fuertes, ahumados, dulces, terrosos, frescos, que se esconden atrás.

• Hay varios tipos: los nasales o que "pican para arriba" como el wasabi, el krein, las mostazas fuertes; los más frescos, como el jengibre; los terrosos y perfumados, como las pimientas.

• Y entre los chiles hay muchas variedades: frescos, en vinagre o conserva. La regla "cuanto más chico, más fuerte" no es tal. ¡Ojo con los grandes también! Pueden engañar. En cuanto a los secos, son mejor en escamas que en polvo.

• Remedio para calmar: cosas con almidón o grasa fresca, como yogurt o crema, pan con manteca, papa, bananas, cerveza. Nunca agua, porque es neutra, no interviene ni refresca.

• Si se enchilan (que significa pasarla muy mal por comer más picante del que toleramos, aunque el nivel sube con la costumbre): respirar hondo, hacer lo indicado arriba, no se asusten y concéntrense en controlar el cuerpo con la respiración.

• Probar siempre apenas con la punta de la lengua, así sabemos cuánto poner. Y si se los incorpora a una salsa, revolver y esperar un poco antes de agregar más. Las mostazas picantes se suavizan con la cocción.

Crocantes

Muchos platos ricos pueden dar un vuelco favorable y ser excelentes. A veces necesitan un poco de acidez o dulzura. Otras, algo crocante: panceta o migas de pan salteadas, gremolata, croutons, crumble, tuille, chicharrón, praliné, chips, hilos fritos de vegetales, el arroz pegado en la paellera (socarrat), pasta (los más dorados gratinados), masa frita, fruta seca, semillas, apio, hinojo, zanahoria, pochoclo, acaramelados, croûte, piel de salmón, piel de pato...

Técnicas

Conozco gente que en su casa nunca prendió el horno. También algunos que no fríen, porque no saben, pero comen mucha comida frita fuera de casa. Otros que sólo cocinan en una sartén. En este caso, la variedad también es importante. Saber cocinar de diferentes maneras hace el acto más interesante: nos permite explorar mayor cantidad de texturas y niveles de sabor. Hay muchas más técnicas que las aquí detalladas, pero vamos poco a poco… Los métodos de cocción varían también según las estaciones. En épocas frías, cocinamos bien despacito, a fuego lento, en olla y disfrutando del horno y el calor de la cocina. En días cálidos, preferimos métodos rápidos, salteados, ensaladas, ceviches, el grill y las comidas al aire libre.

Freír

- Regla número uno y la más importante: cuanto más aceite en la sartén, menos en la comida.
- Regla número dos: freír es peligroso. Hay que estar atento y concentrado en todo momento.
- Las papas fritas hay que freírlas dos veces: una en aceite no muy caliente (150º C) y secarlas bien. Otra, muy caliente (190º C). Repito: mucho aceite.
- No sobrecargar la sartén o cacerola. Pueden pasar dos cosas y las dos malas: que rebase al burbujear o que el aceite se enfríe y la comida se hierva en vez de freírse.
- El aceite debe estar limpio. Si se lo trata bien, con cuidado, se podrá volver a usar una o más veces. Pero sólo si se tiene cuidado de no pasarlo de temperatura y quemarlo; y de colarlo al enfriarlo, para sacarle todos los restos (puntitos negros).
- Aunque me encantan las papas fritas, por lo general trato de freír otros alimentos que a veces resultan, para algunos, más difíciles, como coliflor, acelga, pescados.

Vapor

- Siempre mucha cantidad de agua (cuanto más mejor). Suele suceder que la cacerola se queda sin agua y que todo termina quemado.
- Si se van a preparar vegetales enteros, hay que tener otra olla con agua caliente para reponer.
- La tapa debe cerrar bien (o poner un trapo en el borde para asegurarse de que así sea).
- Si se preparan pescados, es mejor colocarlos sobre un plato. Y si el plato entra justo, ponerle un trapo debajo, para poder sacarlo más fácilmente.
- Lo que se cocina al vapor, se puede recalentar al vapor.
- Las masas toman muy buena textura (prueben algún pan relleno chino).
- Tiempos estimados: papas: 15'; zanahorias: 12/13'; maíz entero: 30'; coliflor: 8/10'; verdes: 4/5'; ajo: 30'; maní: 20'; hongos: 4'; brotes: 2'; espárragos: 4'; habas: 6/7'; tomates: 5'; repollo: 13'; huevos: 10' (a fuego bajo, como los flanes).
- En lugar de agua se pueden usar otros líquidos. También marinar lo que se vaya a cocinar.

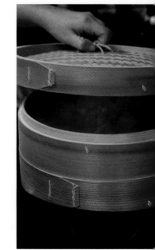

Hornear

El horno prendido da sensación de hogar, úsenlo. Los aromas que salen de carne asándose, pan caliente o tortas indican que hay amor: por otro, por la cocina o por comer.

- Todo lo que se lleva al horno debe estar a temperatura ambiente, a menos que se indique lo contrario.
- Siempre dejar descansar las carnes por 10 o 15 minutos cuando salen del horno, para que queden más jugosas. Van a poder cortarse con más facilidad.

- Para que las tortas no se peguen a los moldes, ponerles manteca, llevar al freezer y volver a poner. Así tenemos una capa más gruesa. Se le puede poner una capa fina de harina o papel manteca.

- Precalentar es la clave. Siempre que se lo vaya a usar, primero hay que prenderlo y después hacer todo lo demás.

- Los tiempos de cocción siempre varían. La verdad es que cada horno tiene sus mañas, sus particularidades.

- Ojo con el estante que se use. Para hacer "piso" (dejar crocante la parte inferior), el estante más bajo. Para dorar o gratinar, el de arriba. Y el resto, al medio.

- Hablen con el carnicero, cuéntenle qué quieren hacer y dejen que les recomiende un corte de carne. Y que haga el trabajo difícil, que para eso se necesitan herramientas y conocimientos especiales.

- Para asar elijan hierbas de tronco (tomillo, romero, orégano, laurel), ajo o limón, para darle sabor a lo que hagan.

Brasear

- Es una forma de cocinar al horno. A temperatura baja (no más de 170º C) y por un largo período de tiempo. Se basa en cocinar carnes con algunos vegetales (en lo posible zanahorias, cebollas, ajos), hierbas, especias y líquidos (caldo o vino). Todo se cocina solito en el horno. La carne (que hay que cubrir hasta la mitad) se tierniza hasta quedar casi desarmada y los sabores se funden y transforman. Siempre tapado con tapa o aluminio. Hay que dar vuelta la pieza un par de veces durante la cocción.

Wok

- La comida rápida por excelencia. Se creó para aprovechar al máximo el calor y la combustión.

- Se usa en el fuego más fuerte de que se disponga; ningún otro sirve.

- No tiene secretos pero sí claves. Después de sentir que lo dominamos, no vamos a poder dejarlo.

- Lo precalentamos a fuego fuerte, por un buen rato, sin nada de aceite.

- Tener todos los ingredientes que se van a usar, lavados, secos y cortados. Los líquidos también a mano.

- Agregar un chorro de aceite (siempre por las paredes) y enseguida los ingredientes.

- Si se usa jengibre o ajo, ponerlo con el aceite, para saborizarlo. Revolviendo sin parar porque se queman en segundos.

- En un wok doméstico se cocina para una o a lo sumo dos personas, no más. Para mayor cantidad nada sale bien, porque el fuego no alcanza.

- Una vez que se ponen los ingredientes (siempre por orden de cocción), revolver haciéndolos subir por las paredes del wok, que van a estar muy calientes. La comida nunca debe estar quieta.

- Todos los líquidos que agreguemos (salsa de soja, vino, etc.) los añadimos por las paredes. Así, al caer al centro llegan calientes a la comida.

- ¿Cómo se cura? Poniéndole un poco de aceite, llevándolo a fuego medio y dejándolo quemar por 10 o 15 minutos. Va a humear toda la casa. Ya frío, limpiarlo con papel, y repetir la operación. Volver a secarlo con papel, enjuagarlo sólo con agua y secarlo sobre el fuego.

- No se debe lavar, sólo enjuagar y frotarle la superficie con papel aceitado.

- Para guardarlo, mejor colgarlo.

Sartenear o cocinar en sartén

- A diferencia del wok, el fuego va a ser medio, en una sartén gruesa o teflón. Con manteca, aceite de oliva, caldo o combinados (también vino, panceta, un poco de azúcar, etcétera).

- Así se puede hacer pollo, pescados, papas hervidas, berenjenas, langostinos: dejar que se doren, sin mover demasiado, con paciencia. Que formen costrita, que luego quedará algo en la sartén y es crucial no desperdicirlo...

• Desglasar: recuperar todos los sabores que se quedaron en la sartén o fuente (dorados, no quemados) con un líquido (agua, caldo, vino, cerveza). Va a crear la mejor salsa para lo que hayamos cocinado.

• La temperatura no debe estar ni muy alta (se va a quemar quedando crudo por dentro) ni muy baja (va a perder líquido y se va a hervir o desarmar).

• La manteca nunca debe humear. Si lo hace, se tira y a empezar de nuevo. Debe burbujear en torno a la comida, despacio.

Grillar

• La plancha tiene que ser de hierro y bien gruesa.

• Para curarla, si está nueva: cubrirla toda con una capa fina de aceite o grasa, y calentarla hasta que humee bien. Apagar, dejar enfriar completamente y repetir tres veces más. Al principio no va a estar perfecta, hay que darle tiempo y uso.

• Hay que lavarla sin frotar. El primer tiempo, simplemente pasamos con energía un papel.

• Hay que calentarla a fuego bajo, despacio. Siempre, para que el calor sea parejo.

• Todo lo que se grille deberá ser chato, no importa el grosor (bifes, costillas, pechugas o pollo deshuesado, berenjenas o vegetales en láminas).

• Aceitar un poco la comida, no la plancha.

• Con las carnes, hago lo que vi en mi casa: froto un poco de la grasa de la carne sobre la plancha, en vez de ponerle aceite. Ojo: si se los marinó antes, no ponerle nada.

Hervir

• Mucha agua, siempre.

• Las verduras pueden degustarse al dente o blandas. El punto ideal es al gusto del comensal.

• Si se va a hacer un plato en el que se quiere usar el líquido (como un puchero), empezar con agua fría. Los sabores van a pasar despacio de los alimentos al agua, mezclándose. En cambio, si se quiere que los sabores queden en el producto, partir de agua hirviendo (cuidado con las carnes, que se ponen duras: hay que cocinarlas mucho tiempo).

Otra cosa es

• Blanquear: hervir sólo parcialmente un alimento, poniéndolo enseguida en agua helada para detener el proceso. Para usarlo en otra preparación o en ensaladas.

• Pochear: cocinar en muy poco líquido (que puede estar saborizado) huevos pocheados, pescado pocheado con fondo de pescado y vino, fruta en almíbar. Siempre a fuego muy bajo, un hervor suave y la comida apenas cubierta. También se puede llevar el líquido a hervor fuerte, sacar del calor, agregar el producto y dejar reposar. O combinar las dos anteriores (se hace mucho con pollo y pescados). El líquido puede ser base de la salsa.

Marinar

• Sirve para agregar sabor a un alimento crudo; lo aromatiza y, en algunos casos, tierniza o suaviza.

• Cuanto más tiempo, mejor. No es lo mismo marinar una pata de cordero dos horas que 24 o 48. Un pollo entero, mínimo 12 horas.

• Las marinadas pueden ser secas (combinando solamente especias y hierbas, frutas, vegetales) o líquidas (aceite, vino, jugos o vinagre).

• Mientras se marina, el alimento debe estar en la heladera.

• Antes de cocinarlo, hay que sacarlo de la marinada y escurrirlo bien.

• Mi método: preparar la marinada en un bol, frotar bien la carne, pescado, etc., ponerlo en una bolsa plástica y retirar todo el aire que sea posible. Atar la bolsa y guardarla en la heladera. Darla vuelta al menos una vez.

• Los vegetales absorben sabor más rápido. No hacen falta horas para que tomen sabor.

• Si usan la marinada como parte de la salsa, hay que asegurarse de que hierva por lo menos 5 minutos.

• Limón, ajo, pimienta negra, hierbas, naranjas, aceites, alcoholes, papaya, ananás, vinagres, jugos de fruta, especias... Todo vale.

Parrilla

- Un buen asado depende tanto de la carne y el asador, como del fuego y las brasas. Si se va a usar leña, hay que asegurarse de que no esté verde o húmeda. El carbón tiene que ser de buena calidad.

- ¿Salar antes o después? Para los que prefieren salar antes, usar sal gruesa y masajear bien. También hay quien usa salmuera o sala directamente al final.

- Las técnicas de asar dependen mucho del asador. Todo el mundo tiene la suya y dudo de que alguna vez alguien acepte cambiarla. El lento, el arrebatador, el perfeccionista, el que marea la carne, el purista, el zapatero (todo seco como suela)... Y todos creen que tienen la verdad.

- Es fundamental calcular bien la cantidad de brasas. Las carnes más gruesas necesitan mayor cantidad y más temperatura; si no, quedarán hervidas.

- Nunca hay que cortar la carne al medio para ver el punto. Jamás.

- La parrilla da para mucho más que carne. Vegetales asados sobre el grill como choclos (antes de asarlos, remojar la chala durante 20 minutos), berenjenas, alcauciles, morrones, etc. O se pueden envolver en aluminio papas, batatas, zapallo en cuartos con salvia, sal, manteca y apenas azúcar. O paquetes, tanto dulces como salados, con todo lo que haya en la heladera. Acá importa la inventiva.

- Para medir el calor de la parrilla, se puede usar la mano: Si aguantamos menos de 1 segundo, está muy caliente. Si aguantamos de 2 a 4 segundos, está caliente. Si aguantamos de 5 a 7 segundos, el calor es moderado.

- La parrilla debe mantenerse limpia, las canaletas de metal no tienen que tener restos de grasa o cenizas. Hay que limpiarla cuando todavía está caliente.

Filtro

Alguna vez se dijo que la información es poder. Pero ya no. Es más, a esta altura creo que todos sabemos que tener acceso a información no significa, necesariamente, "saber" más.

Hasta no hace mucho, cuando la información no estaba al alcance de todos, la gente viajaba en busca de libros, discos, revistas y todo aquello que hacía a la "cultura" en general. Ahora es todo lo contrario: la información está ahí, lo que uno quiere y cuando lo quiere, al alcance de la mano. ¿Esto es más democrático? Sí. ¿Más práctico? Obvio. ¿Útil? También.

Pero no hay que perder de vista que las fuentes ahora son mucho más variadas, y que algunas de ellas son nada más que medios para trasmitir una información que dista bastante de su versión original.

Los que tenemos entre treinta y cuarenta años quedamos en el medio del cambio, tuvimos algo de ambos momentos: buscamos y se nos sirvió en bandeja, que es lo que pasa ahora. Pero esta nueva dinámica de la información y su circulación nos pone en una encrucijada: saber un poco de todo puede terminar en saber mucho sobre nada. Y más aun si no sabemos filtrar. Leemos encabezados y aquello que alguien extrajo de algún texto original o resumió como le pareció. En eso se basa mucha de la información que circula. Y sabemos que la información es "poder" nada más que mediada por el conocimiento, cuando sabemos qué hacer con eso que conseguimos, cuando tenemos alguna idea. De lo contrario, es nada más que abrumarse, cansarse o saturarse sin haber profundizado en nada.

Con respecto a la comida, el exceso de información sobre los alimentos, lo gourmet, la salud, lo saludable, la nutrición, las dietas, la publicidad, nosotros los cocineros, la industria… Es ridículo. Números, sumas, restas, reglas, tablas y medidas le quitan el espíritu a algo que debería ser natural: "comer" es uno de los actos más espontáneos que tenemos. Entonces, por qué someterse a la presión de diferenciar lo rico de lo saludable, lo bueno de lo malo, la culpa del placer, lo que se debe y lo que no. La información es caótica, mucha gente la maneja y la manipula sin un criterio claro, y son cada vez más quienes creen comprender algo no entendiendo realmente mucho. Hay confusión, y en este lío salen ganando siempre los que se aprovechan de ella. ¿Qué es mejor?

La comida, alimentarnos, comer, todo eso debería ser placentero, divertido, sexy, ameno, excitante. Debería entusiasmarnos, reconfortarnos, reunirnos, y no estresarnos o asustarnos, y mucho menos preocuparnos o confundirnos.

Pero la oferta no ayuda. Cada vez nos ofrecen más comida de menor calidad, a un precio cada vez más bajo –o al menos bastante accesible–. Por eso, saber es bueno, pero entender es mucho mejor. Hay que leer. Leer entre líneas. Leer en profundidad. Hay que filtrar. Hay que "googlear" aprovechando que ahora todo está ahí, a nuestro alcance. Pero antes es fundamental descentralizar la información que recibimos. En la cocina, cuando filtramos o colamos una preparación, lo hacemos para quedarnos con lo que queremos, con aquello que nos sirve para hacer algo.

A manera de referencia, a continuación les copio una lista de libros, revistas y páginas web de las que extraje información para este libro, y que uso cotidianamente para filtrar, descartar, archivar, incorporar y, más que nada, para comparar.

APPETITE - Nigel Slater
Harper Collins Publishers, London, 2001

COOK'S INGREDIENTS - Pocket Enciclopedia
Dorling Kindersley, London, 1990

HOW TO READ A FRENCH FRY AND OTHER STORIES OF INTRIGUING KITCHEN SCIENCE - Russ Parsons
Houghton Mifflin, 2003

GORDON RAMSAY. A CHEF FOR ALL SEASONS - Gordon Ramsay
Quadrille Publishing Limited, London, 2000

HOW TO EAT - Nigella Lawson
Chatto & Windus, London, 1998

JUST DESSERTS - Gordon Ramsay
Quadrille Publishing Limited, London, 2001

La serie: EL GRAN LIBRO DE...
Sobre mariscos, pescados, quesos, frutos exóticos, etc.
Editorial Everest S.A.

LE GESTE EN CUISINE - Éric Léautey, Pierre Pinelli
Editorial Miverva, Ginebra, 2000

MOLECULAR GASTRONOMY. EXPLORING THE SCIENCE OF FLAVOR - Hervé This
Columbia University Press, 2006

O LIVRO DAS FRUTAS - Jane Grigson
Editora Schwarcz LTDA, São Paulo, 1982

SECRETS AND KNIVES – Richard Gordon & Stephen Robinson
Harper Collins, New Zealand, 2002

The Bread Bible. 300 favourite recipes - **Beth Hensperger's**
Chronicle Books, San Francisco, 1999

The Cook's Book
Dorling Kindersley Limited, London, 2005

The New Professional Chef. The Culinary Institute of America
Van Nostrand Reinhold, New York, 1996

The Rice Book - **Sri Owen**
Transworld Publishers Ltd., UK, 1993

The Whole Beast: nose to tail eating - **Fergus Henderson**
HarperCollins Publishers Inc., NY, 2004

A dictionary of Japanese Food. Ingredients & Culture - **Richard Hosking**
Charles E. Tuttle Company, 1996

A Taste of Japan - **Donald Richie**
Kodansha International Ltd., Japan, 1985

Andrés Carne de Res
Ediciones Gamma S.A., Bogotá, 2005

Cocina Árabe
Ed. Omeba, Buenos Aires, 1997

Las guías Time Out, de ciudades del mundo
Penguin Group www.timeout.com

Las guías World Food, de distintos países
Lonely Planet, Asutralia

El sabor de Colombia
Villegas Editores, Bogotá, 1994

El gran libro de la cocina mexicana - **Susana Palazuelos, Marilyn Tausend**
Anaya Grandes Obras, 1991

El Perú y sus comidas - **Sara Beatriz Guardia**
Edición BONUS, 2002

New Chinese Cooking School - **Kenneth Lo**
Crescent Books, 1995

The Food of Japan. Authentic Recipes from the land of The Rising Sun
Periplus Editions, Singapur, 1998

Doña Lola, el arte de la mesa - Lola P. De Pietranera
Emecé, Buenos Aires

El libro de Doña Petrona - Petrona C. De Gandulfo
Distal, Buenos Aires

Fisiología del Gusto - Brillat – Savarin
Editorial Iberia S.A., Barcelona, 1979

Histoire de l'alimentation
Librairie Fayard, Paris, 1996

Ma Cuisine - Escoffier
Flammarion, Francia, 1934

Obras - Epicuro
Editorial Tecnos, Madrid, 1994

La Cuisinière Provençale. Nouvelle Édition- J-B Reboul, Chef de Cuisine
P. Tacussel Éditeur, Marsella, 1989

Larousse Gastronomique
Librairie Larousse, Paris, 1984

The HACCP. Food Safety Manual - Joan K. Loken, C.F.E.
John Wiley & Sons, Inc., Canada, 1995

Art Culinaire. The International Magazine in good taste (EE UU)

Gourmet Traveller (Australia) www.gourmet.ninemsn.com.au/gourmettraveller

Bon Appétit (EE UU)

Brutus (Japón)

Cuisine (Australia) www.cuisine.co.nz/

Waitrose Food Illustrated (UK) www.wfi-online.com

Cuisine Actuelle (Francia)

Delicious (UK)

Fine Cooking (EE. UU.)

Food & Wine (EE. UU.) www.foodandwine.com

Olive (UK)

Vogue Entertaining + Travel (Australia) www.vogueentertaining.com.au

world wide web

historiacocina.com

mercadocentral.com.ar

nutritiondata.com

slashfood.com

whfoods.com

wholefoodsmarket.com

vegkitchen.com

organicgardening.com

fact-index.com

cauqueva.com.ar

historiacocina.com

coolfoodplanet.org

onlineconversion.com

monbiot.com

chewonthis.org.uk

disinfo.com

voteyeson27.com

adbusters.org

grain.org

gordonramsay.com

jamieoliver.com

nigella.com

foodtv.com

starchefs.com

cuisinedumaroc.com

taunton.com/finecooking/index.asp

bolivian.com/cocina/index.html

gourmania.com

alacuisine.net/

deliciousdays.com

pedramol.com

coolhunting.com

disinfo.com

onlineconversion.com

pandora.com

deandeluca.com

fortnumandmason.com

harrods.com

waitrose.com

williams-sonoma.com

liveplasma.com

lonelyplanet.com

windguru.com

airlinemeals.net

Una banda de sonido para comer y pasarla bien

(que escuchamos mientras hacíamos este libro)

NEIL YOUNG/ Comes a Time | NEW ORDER/ Singles | PEARL JAM | PIXIES | PRIMAL

SCREAM | RICHARD HAWLEY / Coles Corner | SONDRE LERCHE/ Duper Sessions

THE BEES/ Sunshine Hit Me/ Free the Bees | THE BETA BAND

THE FLAMING LIPS/ At the War with the Mystics/ Yoshimi Battles the Pink Robots

THE GOOD, THE BAD & THE QUEEN

THE MAGIC NUMBERS/ The Magic Numbers/ Those the Brokes

YEAH YEAH YEAH/ Show Your Bones | BLUR | BRENDAN BENSON

CAT POWER/ The Gratest | KINGS OF CONVENIENCE/ Riot on an Empty Street

KINGS OF LEON/ Because of the Time | THE RACONTEURS/ Broken Boy Soldiers

FEIST | WHITE STRIPES/ Get Behind me Satan

ARCHITECTURE IN HELSINSKY/ In Case We Die

PHOENIX/ It's Never Been Like That/ Alphabetical | JACK JOHNSON/ Varios

Glosario latino

Sabores que, según donde vivamos, a veces tienen distintos nombres, pero de los que todos sabemos disfrutar...

A

ABADEJO: parecido al bacalao, mojito, reyezuelo

ACHICORIA: similar en sabor a la radicheta o escarola

ACHÍN: ñame

ACHIOTE: axiote, bijol, color, onoto, bixá, bija

ACHURAS: despojos, menudos (principalmente de ganado vacuno)

ACEITUNA: oliva

AFRECHO: salvado de trigo

AGUAYÓN: cadera, tapa

AJÍ: chile, pimiento

AJÍ PICANTE: ají, chile, conguito, chilcote, puta parió

AJONJOLÍ: sésamo

ALBAHACA: basílico, hierba del vaquero

ALCAUCIL: alcachofa

ALMIDÓN DE MAÍZ: maicena, fécula de maíz

ALMIDÓN DE MANDIOCA: harina de yuca

ALUBIA: judía, poroto, frijol

ANANÁS: piña, abacaxí

ANCHOA: boquerón, anchova

ARVEJA: alverja, guisante, petit pois, chícharo

AREPA: torta o pan de maíz

AZAFRÁN: brin

AZÚCAR IMPALPABLE: azúcar en polvo

AZÚCAR MASCABADA: moscovado, chancaca, azúcar integral, azúcar sin refinar, piloncillo, panela

B

BANANA: plátano, cambur

BANANA PEQUEÑA: guineo, banana de oro

BATATA: camote, boniato, ñame, papa dulce

BIFE: bistec, filete de carne vacuna

BOQUERÓN: anchoa con la carne más blanca

BRÓCOLI: brécol

BROCHETTE: anticucho, brocheta, pincho largo

C

CABRITO: chivo

CAJETA: dulce de leche de cabra

CALABAZA: similar al zapallo pero de cuello más largo, ahuyama, ayote, tecomate

CANGREJO: jaiba

CASTAÑA DE CAJÚ: nuez de cajú, pepita de marañón

CEBOLLA DE VERDEO: cebollín, cebollina, cebollita verde

CEDAZO: tamiz, ayate, colador

CEREZA: guinda

CERVEZA: agria, birra, birria, bruski, biela, chela, cheve, espumosa, fría, lager, pilsener, pola, rubia, chop

CHALA: panca

CHANCHO: cerdo, puerco, marrano, cochino

CHARQUI: carne seca, salada, carne de sol

CHAUCHA: poroto verde, judía verde, ejote, vainica, vainita, vainitas, habichuela (tierna)

CHICHARRÓN: cuero y grasa de cerdo crocantes

CHILE: ají picante, guindilla

CHOCLO: maíz, jojoto, elote, chilote, mazorca

CILANTRO: culantro, coriandro fresco

COMINO: kummel

CONDIMENTOS: aliños

CORDERO: borrego

COSTILLA: chuleta, costeleta

D

DAMASCO: albaricoque, chabacano

DENDÉ: aceite del fruto de la palmera (Brasil)

DULCE DE LECHE: arequipe, manjar, dulce de cajeta

DURAZNO: melocotón

E/F

ECHALOTE: echalota, escalonia

FALDA: sobrebarriga, zapata

FRUTILLA: fresa

G

GIRASOL: maravilla, mirasol

GUACHINANGO: huachinango, pargo

GUARAPO: jugo de caña

GUAYABA: arasa

GUISO: ahogado, nogado, hogao, refrito

H/I/J

HOJALDRE: milhojas, hojaldra

HONGOS: callampas, setas, champiñones

HUMITA: huminta

K/L

KUMMEL: comino

LECHÓN: cochinillo, lechonceta

LENTEJAS: gandules

LIMÓN: acitrón

M

MACIS: piel de nuez moscada, coscada

MAICENA: almidón de maíz

MAÍZ: choclo, elote, jojoto, chilote

MAÍZ PARTIDO: maíz pisado

MANDIOCA: yuca

MANÍ: cacahuete, cacahuate

MANTECA: mantequilla

MARACUYÁ: parchita, fruta de la pasión

MEJILLONES: cholgas, choritos

MELAZA: guarapo, kero

MENTA: similar a la hierbabuena

MENUDOS: achuras

MILANESA: escalope, carne frita empanada

MONDONGO: callos, guatita, pancita

MORA: zarzamora

MORILLA: hongo de ciprés

MORRÓN: pimentón, marrón, pimiento dulce, ají

MORTERO: molcajete

MOTE: grano de trigo o maíz pelado y cocido

N/Ñ

NABO: colinabo, coyocho o collocho, cogocho

NARANJA: china

NÍSPERO: achras, sapota, chicozapote, zapote o sapote

NUEZ MOSCADA: nuez coscada, macís

ÑAME: tubérculo similar a la batata

O

OLIVA: aceituna

ORÉGANO: mejorana

OREJÓN: durazno o cualquier fruta sin hueso seca

OSOBUCO: ossobuco, hueso de médula

OSTIÓN: ostrón, vieira

P/Q

PALETA: espaldilla, pulpo de brazo, bola de brazo, posta de paleta, planchuela, asado de brazuelo, azotillo, cosillo

PALLAR: poroto pallar, ayocote

PALTA: aguacate, abacate

PANCETA: bacon, tocino, tocineta, cuito

PANCHO: perro caliente, hot dog, frankfruters

PANELA: azúcar integral, azúcar morena, azúcar negra, chancaca, azúcar mascabada, papelón, azúcar sin refinar, dulce de atado, piloncillo

PANQUEQUE: crêpe, tortita, panque

PAPA: patata

PAPAYA: lechoza, mamón, melón zapote, fruta bomba

PAVO: guajalote

PECETO: muchacho redondo, asado redondo, redondo, asado pejerrey, salón, pollo ganso, custe

PELÓN: pavía, durazno pelado, nectarina

PICKLES: verduras curtidas, encurtidos

PIMENTÓN: ají, chile, pimiento rojo dulce, color

PIÑA: ananás, abacaxí

POCHOCLO: palomita, rosita o roseta de maíz, pororó, maíz, cotufa, canguil, popcorn

POMELO: toronja

POROTO: judía, frijol, habichuela, caraota, guandú, fréjol, alubia

POROTO VERDE: judía verde, ejote, chaucha, vainica, vainita, vainitas, habichuela

PUERRO: porro, ajo porro

PUCHERO: cocido

PUTA PARIÓ: rocoto, ají muy picante

QUESILLO: queso fresco, requesón, ricota

R

RADICHETA: achicoria, almirón, yerba amarga, lechuguilla

RASPADURA: chancaca, raspadura, piloncillo

REMOLACHA: betarraga, betabel

REPOLLO: col

RICOTA: requesón, queso de leche cuajada, quesillo

ROCOTO: ají muy picante

ROMERO: rosmarino, rosmarín

S

SALSA BLANCA: salsa Bechamel

SANDÍA: patilla, melón de agua, melancia

SÉSAMO: ajonjolí

SETA: champiñón, hongo

SOLOMILLO: lomito, filete

T

TAMIZ: cedazo, jibe, colador

TASAJO: charqui, cecina, carne seca

TOMATE: jitomate

TUNA: higo chumbo, jiotilla, higo de cactus

U/V/W

VACA: res

VIEIRA: ostión

X/Y/Z

YUCA: mandioca

ZAPALLITO: zapallo italiano, calabacín, calabacita, calabaza, zucchini, pipián

ZAPALLO: similar a la calabaza, ahuyama, ahuyame, auyama, ayote, tecomate

ZARZAMORA: mora

ZUCCHINI: zapallo italiano, calabacín, calabacita, calabaza, zapallito, pipián

Agradecimientos

Juan Paronetto, por hacerme mantener el rumbo. Mi mamá Cacha, y a sus pollos y huevos. Viviana Lepes (Tía Vivi), fuente de consulta permanente. Juan Lepes, mi papá. Catalina y Misha, mis hermanos más chicos, por venir a cocinar un rato. Mi abuela Paquita.

Vanesa Kroop, por hacer que lo que imagino se concrete y ser la mejor productora.

Eduardo Torres, gracias totales.

Barbara Ostrosky, sos lo más; gracias.

Francisco Martínez, Gery Capua, Felipe Ruiz, Emilio Bertolini, Silvina Torres, Natalia Breit y Ramona.

Candela, Gustavo, Pablo y Marcela (el equipo de E.T.).

Cecilia Miranda, Ayelén y Ana "la gallega", por hacer que todo sea lindo y mientras tanto, divertirnos. Javi Picerno. Santi Jovenich al rescate, Cecilia González.

Adrián "el capi". Jorge Lafont y sus grandiosas cacerolas. Emilio Garip y Martín Rebaudino, del Restaurante Oviedo. Cristina Martín por sus flores y miniaturas. Agustín de Sueño Verde, por los aromas a hierbas. Carlos, de Piedras Blancas. Los chicos de Piaf y Chocolates Fénix.

Bruno y Yami. Dodi Galperín, como siempre. Inés De los Santos.

Mariano Valerio y Nacho Iraola, de la editorial, por dejarme hacer el libro que quería.

Alex Atala, por ser un talento con tanta onda y generosidad.

Y a todos los cocineros de los que aprendí algo.

223

Adrián Schirosa, Gra. Productos Naturales, Nave 5 - Puesto 35, Mercado Central de Buenos Aires

Jorge Nabel, Alfarería urbana, alfareriaurbana@gmail.com

Miranda Green, Cabello 3909

Bazar Pena, Piedras 814

L' Ago, Defensa 970

La Corte Vintage, Nicaragua 5999

Le Toton Casa, Arenales 1316

L' Interdit, Arenales 1412

Pic nic, Uriarte 1359

Ramos Generales, Cabello 3650 PB "C"

Reina Batata, Table & Cookware, Gurruchaga 1785

Santos Bazar, Thames 1759

Suan Antigüedades, Conde y Dorrego loc. 84

Tupperware

Paula Casey y Jessica Rojo, asistentes de producción y estilismo

¡¡¡Gracias!!!